rowohlt
PAPERBACK

Siri Hustvedt

Being a Man

Essays

Deutsch von Uli Aumüller

Rowohlt Taschenbuch Verlag

Being a Man enthält alle Essays aus *A Plea for Eros*, bis auf *Nicht hier, nicht dort* (*Yonder*), *Ein Plädoyer für Eros* (*A Plea for Eros*) und *Gatsbys Brille* (*Gatsby's glasses*). Diese erschienen in dem Essayband *Nicht hier, nicht dort* (Rowohlt Verlag).

Deutsche Erstausgabe
Veröffentlicht im Rowohlt Taschenbuch Verlag,
Reinbek bei Hamburg, Dezember 2006

Die Originalausgabe erschien 2006
unter dem Titel «A Plea for Eros» bei Picador, London

Satz Adobe Garamond PostScript (InDesign)
Gesamtherstellung Clausen & Bosse, Leck
Printed in Germany
ISBN 13: 978 3 499 24391 2
ISBN 10: 3 499 24391 1

Gewidmet meiner Mutter,
Esther Vegan Hustvedt

Inhalt

Franklin Pangborn: Eine Apologie

Ich weiß nicht mehr, wann Mr Franklin Pangborn mir zum ersten Mal auffiel. Er blieb immer eine Randerscheinung auf der Filmleinwand und hat sich durch die Häufigkeit seiner Auftritte unvergesslich gemacht. In dem einen Film taucht er plötzlich hier, im nächsten dort auf. Er beherrscht einen Augenblick oder eine ganze Szene, aber nie einen gesamten Film. Erst nachdem ich viele amerikanische Filme aus den dreißiger und vierziger Jahren gesehen hatte, wurde sein Name allmählich gleichbedeutend mit jenem gespreizten Unterlegenen, den ich mit der Zeit lieb gewann. Mir gefällt die Glaubwürdigkeit des von ihm gespielten Charakters, und mir gefällt sein Name. Darin verbinden sich die erhabenen Konnotationen von *Franklin*, wie bei Ben und Roosevelt, mit dem Pathos von *pang* (Schmerz, Krampf, Wehen), und die Tatsache, dass dieses *pang* gepaart ist mit *born* (geboren), entzückt mich ob seiner Dickens'schen Treffsicherheit.

Mit gewissen Abwandlungen spielte Pangborn immer denselben Mann. Noch bevor er ein Wort sagte, war sein Charakter definiert. Er war der personifizierte Geizkragen und hielt sich selbst ständig in Schach. Seine Haltung war aufrecht bis zur Verrenkung: Rücken gespannt, Hintern heraus, Kinn leicht gereckt, die Gesten eine Spur hochnäsig effeminiert: Er ist der Mann, der, falls er lange genug auf der Leinwand bleibt, gedemütigt werden wird. Er führt ein lächerliches Leben, ein Leben, bestimmt von Regeln, die um jeden Preis eingehalten werden müssen, ein Leben würdevoller Selbstüberschätzung, mit vollständig zugeknöpftem Anzug, in obsessiver Sauberkeit und Korrektheit. Wenn er spricht, bläht seine Stimme sich zu Artikulierungen auf, die entschieden unamerikanisch sind. Tatsächlich ähnelt sein Tonfall verdächtig jenem anderen Englisch, das mitunter auch als *King's English* bezeichnet wird. Für Amerikaner bedeutet dieser Akzent entweder echte Vornehmheit oder Dünkel. Pangborn hat die Stimme eines Schmalspursnobs.

Warum aber finde ich Franklin Pangborn liebenswert? Warum bereitet mir dieser ganz und gar pingelige Mensch, der in einem Film nach dem anderen auftaucht, ein solches Vergnügen? Zum Teil, weil er sich immer wieder als untauglich erweist. In einer richtigen Machtposition wird so ein Charakter abstoßend, aber Pangborn tritt immer wieder als der «Verwalter» von etwas auf – Geschäft, Hotel, Apartmenthaus –, dessen Anweisungen durch das Tollhaus um ihn herum untergraben werden. Und doch hat sein Wunsch, die Ordnung zu wahren, Grenzen einzuhalten und die Verrücktheit anderer zu ignorieren, sowohl eine edle als auch eine bedauernswerte Dimension. Von guten Manieren geleitet, hält der steife Mann durch, oft gebeutelt, aber selten besiegt. Er ist das Inbild bedrohter Höflichkeit.

In meiner Kindheit und Jugend hatte meine norwegische Mutter bestimmte Vorstellungen von Form und fühlte sich den Zeichen bürgerlichen Lebens verbunden, die nicht immer mit den demokratischeren Idealen meines amerikanischen Vaters übereinstimmten. Vor einiger Zeit erzählte sie mir, dass man – in Norwegen jedenfalls – zum Abendessen nie Kerzen aufstellte, ohne vorher kurz den Docht angezündet zu haben. Auch durften es keine Stummel sein. Sie durften neu sein, aber die Dochte mussten geschwärzt werden, bevor die Gäste eintrafen. Ich fragte meine Mutter nach dem Grund. «Keine Ahnung», sagte sie lachend. «Es war einfach so.» Seither zünde ich selbst ebenfalls kurz die Kerzendochte an, bevor meine Gäste zum Dinner kommen. Das bringt wohl einen Pangborn'schen Aspekt meiner Persönlichkeit zum Ausdruck, einen vollkommen irrationalen Willen zur Form. Natürlich hatte mein Vater nichts gegen geschwärzte Dochte. Es ist gut möglich, dass er dieses Zeichen guter Manieren in seinen inzwischen vierundvierzig Ehejahren mit meiner Mutter nicht einmal bemerkte. Dochte waren ihre Domäne – eine, die häuslich und weiblich war.

Meine Eltern waren jedoch unterschiedlicher Meinung zum Thema Zäune, ein tiefgreifenderer Streitpunkt mit weitreichenderer Pangborn'scher Bedeutung. Meine Mutter sehnte sich nach einem Zaun um unser Grundstück in Minnesota. Für sie hatte er etwas Nostalgisches, das Tröstliche des Abgeschirmtseins, war aber auch von ästhetischem Wert. Als Europäerin fand sie Zäune normal. Mein Vater ist auf einer Farm in der Prärie aufgewachsen. Er erinnert sich an Scheunenrichtfeste, Quiltnähkränzchen und Squaredance. Zäune sperrten Kühe ein, doch das eigene Anwesen derart zu markieren hätte keinen gutnachbarlichen Eindruck gemacht. Pangborn ist ein Charakter, der sich durch Zäune definiert, durch formale Einteilungen, die abgrenzen wollen, durch Differenz, Hierarchien. In der allgemeinen amerikanischen Mythologie haben diese Zäune etwas Feminines. Franklin Pangborns Charakter steht in störrischem Gegensatz zu einem ungezwungenen, demokratischen, maskulinen Ideal, wie es durch die Linse amerikanischer Filme der 30er und 40er Jahre zu sehen ist.

Bei einem frühen Kurzauftritt in Preston Sturges' *Atemlos in Florida* führt Pangborn als Verwalter eines Apartmenthauses an der Park Avenue potenzielle Mieter zur Wohnung eines Paares – gespielt von Claudette Colbert und Joel McCrea –, das in Not geraten ist und die Miete nicht bezahlt hat. Der elegante Pangborn in dunklem Anzug mit makellos weißem Einstecktuch in der Brusttasche, dient als Kontrastfigur für den fast tauben Weenie King, einen Millionär aus dem Westen in einem schäbigen hellen Mantel und mit Cowboyhut, begleitet von seiner aufgedonnerten Gattin. Ebenso ungehobelt wie reich, schlägt der King mit dem Stock gegen die Flurwände und brüllt unlogisches Zeug, während Pangborn sich alle Mühe gibt, angesichts dieses vulgären Herumblödelns seine Würde zu wahren. Der Weenie King, eine Hollywood-Phantasie vom amerikanischen Westen, kümmert sich keinen Deut um irgendwelche Formen, Benehmen oder Zäune. Zunächst beantwortet Pangborn die meisten Fragen des King mit einem ständigen «Gewiss doch», das von einem vielsagenden Räuspern unterbrochen wird – ein Tic, der bei der von Pangborn verkörperten Figur immer wieder auftritt. Es ist, als hätte sich seine ganze Missbilligung in seiner Kehle festgesetzt. Die Frau des King bemerkt, dass die Wohnung schmutzig ist. Der Verwalter stimmt ihr zu und entschuldigt sich. Aber der King äußert lautstark, dass er Dreck liebe, der sei (unter anderem) so natürlich wie «Krankheit» und «Wirbelstürme». Sturges weiß, dass Schmutz hier das entscheidende Wort ist. Pangborn ist nämlich im höchsten Grade makellos.

Nachdem ich erwachsen geworden war, begann ich zu putzen. Ich bin zu einer hingebungsvollen Sauberfrau geworden, die Böden schrubbt und Wäsche bleicht, überhaupt zu einer Feindin von Schmutz und Staub und Flecken. Es ist wahrscheinlich unnötig anzumerken, dass meine Mutter ihr ganzes Leben lang inbrünstig putzte. Mein Mann, der mich manchmal bei diesen Bemühungen ertappt – auf allen vieren in den Tiefen eines Schranks –, ruft dann gern «Aufhören!» Er sieht Ordnung und Sauberkeit langfristiger. Warum eine Jacke aufhängen, wenn man sie eine Stunde später beim Verlassen des Hauses wieder anzieht? Warum einen Aschenbecher leeren, wenn noch ein weiterer Zigarrenstummel hineinpasst? Ja, warum eigentlich? Ich räume auf und mache sauber, weil ich gern die Umrisse jedes Objekts um mich herum deutlich erkenne und weil ich in meinem häuslichen Leben gegen Ungenauigkeit, Zweideutigkeit, Wirbelstürme und Verfall (wenn nicht gar Krankheit) ankämpfe. Es ist eine klassisch weibliche Haltung, was nicht heißen soll, dass sie nicht auch von jeder Menge Männer geteilt wird. Ich weiß nicht, ob man Pangborn in einem Film wirklich beim Saubermachen sieht, aber das ist gar nicht nötig. Sein Charakter ist fleckenlos und obsessiv, eine Figur perfekter Ordnung. Im Verständnis der amerikanischen Mythologie ist er ein Verräter seines Geschlechts, ein Anti-Cowboy, der sich auf die Seite der Mädels geschlagen hat. Der Spaß besteht darin, ihn aus der Fasson zu bringen, sodass er schwitzen und stolpern und schmutzig werden muss.

Sturges, der sich immer der Klassenvorurteile von Amerikanern bewusst war, die gleichwohl im Geldüberfluss schwelgen, macht den aus dem Westen kommenden Weenie King zum Märchenonkel des Films. Der King zieht aus einem zusammengerollten Bündel Banknoten, das doppelt so dick ist wie seine Faust, Scheine und reicht sie der Dame des Hauses, die er unter der Dusche versteckt findet. Pangborn bleibt allein im großen Wohnzimmer des Luxusapartments zurück, erschöpft und angewidert von den Unbilden, die er im Lauf eines Arbeitstags durchmachen muss, Unbilden, die ihn etwas verknittert haben.

Ohne den Populismus des Westens und seine Weenie Kings hätte die von Franklin Pangborn dargestellte Figur nicht so wirkungsvoll sein können. Hochnäsig, verklemmt, urban und verweichlicht, ist er eine Ausgeburt von Vorurteilen der Prärie, Pangborns ausgesuchte Diktion und seine Umgangsformen sind Zielscheibe des Spotts. In *Mein Mann Godfrey* sehen wir ihn nur wenige Sekunden, aber diese Sekunden sind wichtig. Unter den Wunscherfüllungsfilmen der Depressionszeit zählt dieser nach wie vor zu den besten. Pangborn spielt typischerweise einen Mann, der versucht, inmitten von Chaos die Dinge am Laufen zu halten. Er ist vermutlich der Vorsitzende des törichten Wohltätigkeitskommitees, das eine Schnitzeljagd für Schwerreiche veranstaltet. Unter den «Sachen», die die Teilnehmer mitbringen sollten, ist ein «Verschollener». Carol Lombard entdeckt William Powell (Godfrey) auf einer Müllhalde am Fluss, und nach etlichem Hin und Her schleppt das von Lombard gespielte überkandidelte, aber gutartige Wesen den unrasierten, zerlumpten Godfrey auf eine glitzernde Party von Leuten in Frack und Abendkleid. Pangborn prüft die Authentizität des «Verschollenen», indem er zunächst darum bittet, Godfreys Schnurrbart anzufassen. (Ein anderer Teilnehmer hatte zuvor versucht, mit einem Schwindler zu betrügen.) Pangborn tut es mit einer Verbeugung, den Worten «Gestatten?» und einem Räuspern der herrlichen Kehle. Aber mein Herz erobert er mit seiner Geste. Er hebt die Finger, und mit einem eleganten Schnörkel, wie man ihn seit dem 18. Jahrhundert am französischen Hof nicht mehr gesehen hat, winkt er mit der Hand in Richtung Bart und erklärt ihn für echt. Es ist ein hinreißender Augenblick. In dieser Handbewegung sehen wir sowohl die strengen Regeln der Höflichkeit, die den direkten Kontakt mit dem Körper eines anderen untersagen, als auch den Widerwillen vor einem ungewaschenen, unparfümierten und insgesamt unannehmbaren Körper. Nachdem er für echt, als ein wirklich «Verschollener» befunden wurde, bezeichnet Godfrey die Umstehenden als «einen Haufen Schwachköpfe», wird von Lombard als Butler eingestellt, und die Geschichte beginnt.

Ich lebe nun seit zwanzig Jahren in New York und bin dabei hin und wieder unter Schwachköpfen gelandet. Obgleich ich nie das Vorurteil meiner Heimatstadt – die Reichen seien schlechter als andere Menschen – geteilt habe, trifft es wohl zu, dass riesige Mengen Geld von außen betrachtet leicht etwas Lächerliches an sich haben und dass das Spektakel des Verschwendens und Verspielens für den eingefleischten Midwesterner etwas Geschmackloses hat, das ihm den Magen umdreht. Und nichts sieht alberner und dümmlich selbstgefälliger aus als ein Wohltätigkeitsballs. In Hollywood wusste man das und nutzte es aus. Als die Farm meiner Großeltern in Minnesota den Bach hinunterging, gab es in New York schlitzohrige Großstädter, die es geschafft hatten, ihre Kohle zu behalten. *Mein Mann Godfrey* lief auch vor Zuschauern in der hintersten Provinz, Zuschauer, die sich an der Opulenz des luxuriösen New Yorker Hauses ergötzten, aber gleichzeitig über die Absurditäten von dessen Bewohnern lachten. Godfrey ist der Froschkönig eines amerikanischen Märchens, ein Mensch, den die Erfahrung von Armut verändert. Pangborn jedoch ist gegen Zauberei gefeit. Als statisches Wesen der bürokratischen Verwaltung wird er sich nie ändern.

Dieses Statische kommt am besten in W. C. Fields' *Der Bankdetektiv* zum Ausdruck. Pangborn spielt darin den Bankprüfer J. Pinkerton Snoopington. Im engen schwarzen Anzug, mit Melone und Kneifer, ist er der Inbegriff eines Trottels. Pangborns Schicksal ist es, beinah von Fields, alias Egbert Sousé, zu Fall gebracht zu werden. Fields' Hass auf Banken und Banker ist ja wohl bekannt. Und obwohl seine Ästhetik anarchisch und nicht agrarisch-populistisch, misanthropisch und nicht humanistisch ist, muss seine Wut auf Banker bei den Kinobesuchern der 40er Jahre etwas tief in ihrem Innern angesprochen haben. Man sollte sich daran erinnern, dass es die Phantasie damals stärker anregte als heutzutage, wenn ein Bankprüfer gequält wurde.

W. C. Fields war auch kein großer Frauenfreund. Er spielt einen Mann, bei dem jeder Schritt von einer törichten weiblichen Idee eingeschränkt wird. Fields' Mythos zufolge wurden Ehe, Ordnung, Verhaltenscodes und vor allem Enthaltsamkeit von Frauen erfunden, um die natürlichen Gelüste des Mannes zu zähmen. Es ist bemerkenswert, dass Sousé, während er sein Opfer Snoopington in das Black Pussy Cat Café lockt, den Bankprüfer fragt, ob ihm Lompocs schöne Girls aufgefallen seien. Der Bankprüfer räuspert sich gewichtig und sagt, er sei verheiratet und habe eine erwachsene Tochter «im Alter von achtzehn Jahren». Mit anderen Worten: Die Ehe hat ihn für andere Frauen blind gemacht. Der Mann ist kein Mann. Sousé dagegen flüstert wollüstig: «So mag ich sie, mit siebzehn, achtzehn...» Sousé setzt Snoopington im Black Pussy Cat Café mit einem Mickey Finn außer Gefecht, führt, beziehungsweise trägt ihn in ein Zimmer im New Old Lompoc House und lässt ihn (oder befördert ihn) aus einem Fenster dieses neuen alten Etablissements fallen, wonach er den angeschlagenen und zerzausten Bankprüfer nochmals die Treppen hinauf in das Zimmer bugsiert, um ihn dort ins Bett zu bringen – alles nur, weil Snoopingtons einziger Wunsch es ist, die Bücher der Bank zu prüfen, bei der Sousé und sein zukünftiger Schwiegersohn einen «unerlaubten» Kredit aufgenommen haben.

Schon diese kurze Zusammenfassung offenbart den Dickens'schen Geist von Fields, einem Komiker, dessen Freude, die Dinge beim Namen zu nennen, so groß ist wie die am visuellen Witz. Sollten wir Zweifel an der Inspirationsquelle des Regisseurs haben, so hilft uns der Bankprüfer auf die Sprünge. Auf seinem Krankenbett sorgt der pedantische Snoopington sich lautstark um seine Frau. «Meine arme Gattin», jammert er, «meine Klein Dorrit.» Aber es zeigt sich, dass Sousé die Willenskraft des Bürokraten unterschätzt hat. Es gelingt dem Bankprüfer irgendwie, sich aus seinem Krankenbett herauszuquälen und pflichtgetreu in der Bank zu erscheinen. Obwohl offensichtlich noch benebelt und nicht ganz sicher auf den Beinen, sieht man seinem gebügelten Anzug nichts von dem vorangegangenen Missgeschick an. Der listige Sousé versucht daraufhin, Snoopingtons Brille zu zertreten, um den Bankprüfer blind zu machen. Es gelingt Sousé, mit dem Fuß auf die Brille zu treten, worauf der Bankprüfer seine Aktentasche öffnet. Die Kamera zoomt zu einer Großaufnahme ihres Inhalts. Der Mann hat darin in Reih und Glied fünf weitere

Brillen. Die Augengläser sagen alles. Von der Pflicht getrieben, ist dieser Mann für alle Fälle gewappnet. Im kniffligen Reich der Geschäftsbücher, Zahlen und Konten kann ihm niemand das Wasser reichen. Wir wissen mit absoluter Gewissheit, dass er als Bankprüfer leben und sterben wird. Sousé hingegen wird durch einen verrückten Zufall und durch eine kühne Schiebung sagenhaft reich. Am Ende des Film hat er sich glücklich in seiner Villa niedergelassen, wo seine ehemals beleidigende Familie ihn jetzt abgöttisch liebt. Fields geht zufrieden ab. Er ist, wie früher auch, auf dem Weg zum Black Pussy Cat Café. Seine Familie findet ihn «wie ausgewechselt».

Eingezäunt, auf einer Sprosse der gesellschaftlichen Leiter steckengeblieben, drängt es den Pangborn'schen Mann nicht nach Veränderung. Wie die meisten Kinder zieht er das Immergleiche, die Routine, die Beständigkeit vor. Auch das verstehe ich. Wiederholung ist die Essenz von Bedeutung. Ohne sie sind wir verloren. Liebe zum System wird allerdings absurd, wenn sie auf die Spitze getrieben wird. Franklin Pangborn spielte einen Mann, der das System anbetete, in dem er sich befand, ein System, das von jener manichäischen Gottheit Amerikas beherrscht wird, seinem Gott und seinem Teufel: Geld. Geld verfolgt Pangborns Figur in fast allen Filmen. Er selbst hat nicht viel davon, aber er verfällt seinem Zauber, der Teil seiner überwältigenden Mechanismen ist, und er ist übermäßig von seiner Macht beeindruckt. Als Prototyp des Verwalters fällt er auf die Reichen herein. In einem anderen Film von Preston Sturges, *Weihnachten im Juli*, spielt Pangborn den Manager eines Kaufhauses, der darauf brennt, dem Helden und dessen Freundin zu gefallen, die fälschlicherweise glauben, zu Geld gekommen zu sein und einen ausgedehnten Einkaufsbummel machen. Der Manager zeigt ihnen ein Bett, das mit einem ausgeklügelten Mechanismus versehen ist und mit einem Knopfdruck alle Annehmlichkeiten bietet. Pangborn führt dieses Wunderwerk der amerikanischen Konsumwelt vor, und dann erklärt er in einem zugleich hochtrabenden, sittsamen und unterwürfigen Ton: «Und am darauffolgenden Morgen ...» Er drückt auf den bewussten Knopf, worauf das Bett in sich zusammenklappt.

Mir ist klar, dass es nicht nur der von Pangborn verkörperte Charakter ist, den ich mag, sondern die Tatsache, dass er in Hollywoodfilmen einer Zeit auftrat, als der Dialog noch eine wichtige Rolle bei der Filmarbeit spielte, als die antiquierte Wendung «Und am darauffolgenden Morgen ...» für einen Lacher geschrieben werden konnte, als W. C. Fields eine Zeile auf Klein Dorrit verschwenden und als ein Weenie King einen Monolog über seine Liebe zum Dreck, zu Wirbelstürmen und Krankheit halten konnte. Heute ist es selten, dass ein Studiofilm uns überhaupt viel Dialog liefert, und wenn, handelt es sich unweigerlich um eine Sprache ohne geschichtliches Gedächtnis, um eine Sprache, die Angst vor Verweisen hat, weil das Publikum sie nicht verstehen könnte, um eine Sprache, die durch die Politik des Komitees und die Testvorführungen abgewürgt wird. Und während ich dies beklage, weiß ich ganz genau, dass Studios damals wie heute von einem Gedanken angetrieben werden, der im Grunde populistisch ist: die größte Anzahl Menschen ins Kino zu locken, damit sie einen Film sehen, der allen oder fast allen gefällt – abgesehen von Intellektuellen und Miesepetern. Aber selbst in schlechten Filmen der Pangborn-Ära spielte das Sprechen eine größere Rolle als heute. Ich vermisse das Sprechen in Filmen.

Doch wenn ich in Brooklyn aus dem Haus gehe und den Leuten auf der Straße zuhöre, ihren Ausdrücken, ihrer Redeweise, ihren Wendungen und Aussprüchen, so haben sie wenig Ähnlichkeit mit dem, was ich im Kino in «großen» Filmen höre. Die Menschen in meinem Viertel sind ziemlich anfällig für großartige Ausdrücke, komische Wortverwechslungen und für Sprachblüten. Neulich hörte ich eine Frau zu einer anderen sagen: «Er ist nichts als ein kleiner», sie machte eine Pause, «ein kleiner Reklamespruch.» Ein Mann, der nebenan vor dem koreanischen Deli saß, sann laut über das Wort *Humanismus* nach. «Ihr nennt das Humanismus, humanistisch, humanes Sein», brüllte er jedem zu, der es hören wollte. Vor Jahren saß ein alter Mann in der U-Bahnstation der 59th Street und sang eine Reihe wunderbarer Wörter: «Coppelia, episkopal, Echolalie ...» Er hatte eine wohltönende Stentorstimme, die mir noch immer in den Ohren klingt. Einmal versprach ich mich und bestellte im La Bagel Delight, einem Bagelshop in meiner Gegend, bei dem Mann hinter der Theke einen Zimt-Rosinen-*Reagan*. Er sah mich an und sagte: «Die haben wir nicht, aber ich gebe Ihnen einen Pumper-Nixon.» Witz und Wundersames leben in der Alltagssprache. Nur werden sie in Hollywood nicht angezapft.

Die Wahrheit ist, dass die Welt und unsere Phantasien sich oft überschneiden. Franklin Pangborns Figur, dieser etepetete wie aus dem Ei gepellte Stockfisch ist nicht nur eine Erfindung des Kinos. Ich habe einmal mit eigenen Augen seine Reinkarnation gesehen. Vor einigen Jahren waren mein Mann und ich in Paris. Er hatte dort zu tun, und man brachte uns in einem Luxushotel in der Nähe des Louvre unter. Zufällig hatte Gérard Depardieu es sich in den Kopf gesetzt, meinen Mann kennenzulernen, und wir verabredeten uns in der Hotelhalle. Depardieus Name war damals schon lange gleichbedeutend mit französischem Kino. Mir kam es so vor, als würde in jedem französischen Film, den ich mir anschaute, dieser Mann auftreten. Seine Berühmtheit war unbestritten. Der Schauspieler betrat das Hotel. Anders als viele Filmstars enttäuschte er im wirklichen Leben nicht. Depardieu ist ein sehr stattlicher Mann, ein gewaltiger Mann, und er sprüht vor Energie. In einer Lederjacke, seinen Motorradhelm unter den Arm geklemmt, kam er auf uns zu, sein Gang war entschlossen, aber tapsig. Er verströmte nichts als Testosteron, eine ungeschminkte Männlichkeit der Straße, die mich, ehrlich gesagt, umhaute. Aus dem Augenwinkel sah ich, dass der Hoteldirektor bemerkte, wer gerade sein Haus betreten hatte. Auf seinem Gesicht lag sichtbare, aber kontrollierte Aufregung. Man konnte eindeutig daraus ablesen, wie unser Status in diesem Hotel wuchs, je näher Depardieu uns kam. Seine scharfen Augen blickten unverwandt auf den Star. Der Schauspieler erreichte unseren Tisch in der Halle. Er begrüßte meinen Mann, die beiden anderen Personen, die bei uns waren, und mich. Ich erinnere mich, wie er voller Freude meinen Namen ausrief, meine Hand mit dem kraftvollen Druck schüttelte, den ich erwartet hatte, und sich dann setzte. Der Maître d'Hôtel eilte herbei. Kerzengerade, mit gerecktem Kinn, tipptopp in seinem teuren dunklen Anzug und mit eleganter Krawatte versuchte er Gleichmut zu bewahren. Es gelang ihm nicht. In seiner Freude fing er ein klein wenig an mit den Armen zu flattern, als wollte er vom Boden abheben. Dann, mit würdevollem Neigen des Kopfes zu dem Star, erkundigte er sich nach dessen Wünschen. Depardieu bestellte beiläufig ein Glas

Rotwein. Der Hoteldirektor machte auf dem Absatz kehrt und spurtete davon, um es zu holen. Weitere Bestellungen hatte er nicht entgegengenommen. Er vergaß uns.

Als ich ihn davoneilen sah, dachte ich an Franklin Pangborn. Franklin Panborn war in dieser Hotelhalle wiedergeboren worden, und ich war hier, um Zeugin seiner beseelten Torheit zu werden. Der arme Hoteldirektor benahm sich lächerlich, aber er tat mir auch leid. Er hatte seine eigenen strengen Maßstäbe der Etikette gebrochen und einen Narren aus sich gemacht. Aber schließlich machen wir uns hin und wieder alle zum Narren. Und das ist, nehme ich an, der Grund für diese etwas weitschweifige, aber von Herzen kommende Würdigung des Pangborn-Prinzips.

1998

Acht Tage im Korsett

Vorigen Sommer wirkte ich als Statistin bei der Verfilmung von Henry James' Roman *Washington Square* mit. Ich bin keine Schauspielerin. Die Regisseurin Agnieszka Holland ist eine Freundin von uns, aber eigentlich interessierte sie sich für unsere Tochter Sophie, die als eine von Mrs Almonds Kindern besetzt war. Unter einer sengend heißen Junisonne kamen Sophie und ich zu einer Anprobe in Baltimore an. Sophie wurde zuerst angezogen, und sie sah so hübsch aus, wie eine junge Romanheldin nur aussehen kann. Eine der beiden Garderobieren reichte mir ein Korsett, einen Reifrock und einen Petticoat, die ich anzog, und dann schnürte sie mich. Sie suchten ein Kleid, das lang genug für mich war, und ich stieg vor einem hohen, breiten Spiegel in der Umkleidekabine hinein.

Innerhalb weniger Minuten fühlte ich mich schwach werden. Mich überkam das Gefühl, das ich immer bei einem Schwächeanfall habe – starke Verlegenheit. Diesmal kam noch die belastende Angst hinzu: dass ich vor meiner achtjährigen Tochter zusammenbrechen würde. Ich schwankte, fiel hin, aber mir wurde nicht schwarz vor Augen. Ich wünschte, ich könnte sagen, jemand hätte gerufen, ‹Schnürt ihr Korsett auf!›, wäre hinausgeeilt, um Riechsalz zu holen, und hätte mein aschfahles Gesicht mit einem Fächer gekühlt. Aber dem war nicht so. Sie brachten mir netterweise Wasser und Trauben, während ich mich erholte. Ich scherzte, dass ich die Rolle wohl allzu gut ausgefüllt hätte, um in kürzester Zeit das klassische Bild einer in Ohnmacht fallenden Dame des 19. Jahrhunderts abzugeben, aber ich glaube nicht, dass es an dem Korsett lag. Ich war schon einmal vor einem Spiegel beinah ohnmächtig geworden – in einem Yogakurs. Damals hatte ich eine Tanztrikothose und ein Sweatshirt an. Mein Lehrer korrigierte meine Haltung, und ich war ohne Vorwarnung zusammengebrochen. Als ich wieder zu mir kam, hatte ich, tief atmend, meinen Kopf zwischen den Knien.

Vor Spiegeln überprüfe ich mich immer selbst – auf Petersilie zwischen den Zähnen, auf Makel und schmutziges Haar –, wäge ab, welche Schuhe zu welcher Kleidung passen. Doch hin und wieder werden Spiegel etwas mehr – der Sitz eines mir bekannten Körpers wird am Ende den Geist enthüllen. Wie in Sagen und Märchen stellt der Spiegel einen Augenblick lang meine Geisterdoppelgängerin zur Schau, und ich sehe sie nicht gern. Es ist ein Moment, in dem ich mir selbst fremd bin. Aber die Spiegelung von etwas Ungewohntem ist nicht immer ein Schock. Verwandlungen sind reizvoll, und Kleidung ist der schnellste Weg, aus dem eigenen Leben in das eines anderen zu springen. Das Fischbeinkorsett, das ich acht Tage lang trug, katapultierte mich in eine andere Zeit und in eine andere Ästhetik, und es gefiel mir.

Das Korsett ist ein verrufenes Kleidungsstück. Ihm wurde und wird die Schuld am körperlichen wie seelischen Elend der Frauen gegeben, es wird dafür gescholten, dass es Frauenkörper ruinierte und ihren Geist verschloss. Interessant dabei ist jedoch, dass, während Frauen sie trugen, es männliche Ärzte waren, die die Kampagne gegen das Korsett führten. Die meisten Frauen sprachen sich dafür aus. Im 20. Jahrhundert übernahmen die Feministinnen die Kritik der Ärzte und prangerten das Kleidungsstück als verkrüppelnd an. Ohne Zweifel gab es Frauen, die in der Sommerhitze oder vor einem Kaminfeuer in zu eng geschnürten Korsetts zu ihrem eigenen Besten in Ohnmacht sanken. Doch als ich tagein, tagaus mein Korsett trug, verfiel ich seinem Reiz. Ein Korsett zu tragen ist ein bisschen so, wie dauernd umarmt, wieder und wieder in der Taille von einem Arm gedrückt zu werden. Das ist angenehm und irgendwie erotisch – eine anhaltende innige Umarmung.

Aber ein Korsett zu spüren macht nur einen Teil seiner Wirkung aus. Wie jede Kleidung ist es vor allem anderen eine Idee. In diesem Fall fördert es die Idee eines weiblichen Körpers, der radikal anders ist als der Körper eines Mannes. Im Sommer 1986 reiste ich mit meinen drei Schwestern durch Asien, und wir besuchten in den Bergen von Taiwan ein buddhistisches Mönchskloster und ein buddhistisches Frauenkloster. Die Mönche und die Nonnen sahen *genau* gleich aus – kleine, niedliche, haarlose Körper, rasierter Kopf. Die Mönche trugen orange Kleider, die Nonnen weiße. Hätten sie sich nackt ausgezogen und nebeneinandergestellt, wäre der Unterschied zwischen ihnen lächerlich klein gewesen, nicht größer und nicht kleiner, als er wirklich ist – eine genitale Variante und einige unterschiedliche sekundäre Geschlechtsmerkmale an Brustkorb und Hüfte. Nie war mir die Wahrheit über Kleidung, Frisuren und Make-up so ins Auge gesprungen. Das kulturelle Drum und Dran beim Geschlecht ist enorm. Wir machen es und leben es und sind es.

Das Korsett nimmt den Unterschied zwischen Mann und Frau und tobt sich darin aus. Die Einbuchtung der weiblichen Taille wird extrem, und das straffe Schnüren der Taille schiebt den Busen nach oben. Ich hatte plötzlich einen neuen Busen. Mir war nicht klar, wie sehr sich mein Körper verändert hatte, bis ich ein Foto von mir im Kostüm sah und über diese Zutat zu meiner Anatomie erstaunt war. Das Korsett lässt den größten Teil des Busens frei und bedeckt die Genitalien nicht. Durch diese sichere Platzierung zwischen dem oberen und dem unteren Teil des Körpers werden diese schärfer hervorgehoben und als getrennte erotische Zonen definiert. Das Korsett trug dazu bei, einen Begriff von Weiblichkeit zu schaffen, und die Kurven, die es erzeugt, sind seither modern und wieder unmodern geworden. Hätte ich vorher nie ein Korsett gesehen und mich selbst nie in einem vorgestellt, hätte es wahrscheinlich keine große Macht gehabt, aber ich bin mit Romanen aus dem 19. Jahrhundert aufgewachsen und habe die Illustrationen bei Dickens und Thackeray sehr eingehend studiert. In mein Korsett gezwängt, mit einem Körper, den ich noch nie gesehen hatte, wurde ich für mich selbst die Illustration einer Welt, über die ich nur gelesen hatte.

Es gab jedoch nicht nur das Korsett. In den sechziger Jahren des 19. Jahrhunderts, der Zeit, in der James seinen Roman ansiedelt, kamen noch andere, für die amerikanische Bürgersfrau wesentliche Kleidungsstücke hinzu: der Reifrock und der an den Hüften gepolsterte Petticoat. Die Polsterung betont die vom Korsett geschaffene schmale Taille, und der Reifen macht aus einer Frau eine Art wandelnde Glocke. Der Reifen hat tatsächlich etwas Bedrohliches. Wenn man im Sitzen nicht aufpasst, klappt er einem über dem Kopf zusammen. Kein Mensch kann in einem Reifrock den Fußboden putzen. Er ist ein Zeichen dafür, dass man tagsüber *nie* auf Knien rutscht. Es ist sehr wohl möglich, im Reifrock Blumen zu arrangieren, eine Teetasse hochzuheben, ein Buch zu lesen und Dienstboten Anweisungen zu geben. Der Reifrock war ein Klassenmerkmal; seine Einschränkungen bedeuteten Luxus. Wie der chinesische Adlige mit den ellenlangen Fingernägeln erzählt er eine Geschichte: «Ich arbeite nicht für Geld.» Und bei einigen Statisten, die Mägde in tristen grauen Kleidern spielen sollten, bemerkte ich einen Anflug von Neid für die von uns, die in ihren privaten Ballons vorbeirauschten. Wir waren zwar in unseren Bewegungen eingeengt, aber wir nahmen eine Menge Raum ein, und dieser Raum, wurde mir klar, war ein Gegenstand des Stolzes.

Und dann wurde ich zu meinem Bedauern frisiert. Das Korsett gefiel mir, meine Petticoats amüsierten mich, und der Reifrock brachte mich zum Lachen, außer wenn ich mich in dem verrückten Ding langsam rückwärts in eine Toilettenkabine schieben musste. (Die Frauen von damals schoben sich nicht in Kabinen. Ihre Unterwäsche war unten offen, und sie konnten im Stehen pinkeln. Jawohl, wie Männer.) Mit der Frisur war es etwas anderes. Ich bin über ein Meter achtzig groß. Ich war einundvierzig Jahre alt. Als ich fertig frisiert war, sah ich aus wie eine Giraffe mit Ringellocken. Die einzigen Menschen auf der Welt, die natürliche Ringellocken haben, sind Babys. Zur damaligen Zeit war jede Frau, die es sich leisten konnte, gelockt – ob jung, alt oder irgendwo dazwischen. Es war eine Babymode, und meiner Ansicht nach sah jede Frau über zwanzig damit lächerlich aus. Die Sehnsucht nach Kindlichkeit in der Kleidung oder Frisur kommt und geht wie die Wespentaille. Die kurzen Hemdkleidchen in den sechziger Jahren waren genau wie die großen Augen und die Ringellocken eine Rückwendung in die Kindheit. Vor wenigen Jahren las ich von der Mode unter Teenagern und jungen Clubbesuchern, sich Schnuller um den Hals zu hängen, nachdem sie sich in Babysachen gezwängt hatten. Weibliche Peter Pans.

Anders gesagt, es kommt auf die Idee an. Kleider geben uns Einblick in Kulturen und ihr Bestreben und in Individuen und ihre Wünsche. Mehr als wer du bist, drücken Kleider aus, was du sein möchtest. Ringellocken waren schwer erträglich für mich, weil ich mich gern als Erwachsene sehe, weil ich mich um eine gewisse Würde in meiner Aufmachung bemühe, aber diese Würde ist nicht mehr als eine Botschaft, die ich mitteilen möchte, und wer weiß, ob es gelingt? Ich liebe Kleider und habe oft danach geschmachtet – nach dem schönen Kleid oder Mantel im Schaufenster. Ich strebe nach der Verwandlung, die, wie ich mir vorstelle, stattfinden wird, eine Art Verzauberung meines eigenen Körpers.

Kinder neigen mehr zu phantastischen Verwandlungen als Erwachsene, zur Magie der Kostümierung und der von der Illusion herrührenden Veränderung, aber wir sind alle empfänglich dafür, und sich hinter dem seidenen Nachthemd oder Seidenstrümpfen oder dem Nadelstreifenanzug zu verbergen ist eine Geschichte, die wir gehört und uns selbst erzählt haben. Häufig sind diese Geschichten Klischees, abgedroschene Erzählungen, die uns teuer sind. Ich ziehe das seidene Nachthemd an, habe mein Haar gekämmt und mich in die Wangen gezwickt. Ich gehe ins Schlafzimmer, und da ist er – der Held, Clark Gable oder William Powell, je nach Laune. Er dreht sich um, ihm bleibt die Spucke weg: «Du siehst aus wie ...» Leerstelle bitte ausfüllen. Mit was für Wörtern auch immer, nie heißt es: «Du siehst aus wie du selbst».

Jedes bewusst ausgewählte Kleidungsstück ist Teil eines

größeren kulturellen Zusammenhangs. Vor vielen Jahren ging ich als Mann auf eine Halloween-Party. In einem geliehenen Anzug, ohne jedes Make-up im Gesicht, das Haar unter einem Hut versteckt, sah ich mich im Spiegel an und war überrumpelt von der Veränderung. Frauen liebäugeln ständig mit Männerkleidung, aber wenn man sich ganz darauf einlässt, ist das Ergebnis verblüffend. Ich fühlte mich männlich. Meine Schritte wurden länger. Mein Benehmen veränderte sich. Es war leicht, einen Mann zu spielen, genauso leicht, wie eine Frau zu spielen. Der Anzug entfesselte eine Phantasie von Männlichkeit, die ich voll und ganz genoss. Ein andermal war ich auf einer dunklen New Yorker Straße unterwegs. Ich war damals Anfang zwanzig und experimentierte gelegentlich mit kühnen Outfits. In einem roten Overall und Absätzen, die meine hochgewachsene Gestalt noch größer machten, ging ich an einem Mann vorbei, der mir plötzlich Beschimpfungen hinterherrief. Ich ging weiter. Ich brauchte eine Weile, um das Geschehene zu verdauen. Der Mann hatte mich für einen Transvestiten gehalten. Das so komische wie traurige Erlebnis vermittelte mir einen plötzlichen Einblick in die Gehässigkeit, die das Äußere hervorrufen kann, ganz zu schweigen von der oft verschwommenen Linie zwischen Weiblichkeit und ihrem parodistischen Doppelgänger.

Ab und zu springt ein Kleidungsstück aus einer Kultur in eine andere über. 1975, als Studentin, verbrachte ich drei Monate in Thailand und erinnere mich lebhaft an eine Bande von halbstarken Motorradfahrern, die im Regen durch die Straßen von Chiang Mai donnerten und Duschhauben auf dem Kopf hatten. Manche dieser Hauben waren mit Blümchen und anderen Leitsternen weiblichen Zierrats gemustert. Ich war erstaunt, aber außer mir niemand. Meine kulturelle Assoziation passte nicht. Die Duschhaube war anderswo mit einer völlig anderen Bedeutung wiedergeboren worden.

Es trifft zwar zu, dass manche Menschen an einem rigiden Selbstbild festhalten – sei es «ich interessiere mich überhaupt nicht für Kleidung» oder «ich bin eine Sexgöttin» –, doch die meisten von uns haben oder hatten im Lauf der Zeit viele verschiedene Träume. Ich habe ein schwarzes Kleid, das mich an Audrey Hepburn erinnert. Ich bin nicht so verblendet zu glauben, ich sähe in dem Kleid aus wie Audrey Hepburn, aber dennoch hat ihre in Givenchy verhüllte Figur es verzaubert, und ihr Zauber ist Teil meines Vergnügens, dieses Kleid zu tragen. Filme und Bücher sind starke Drogen für Liebhaber von Kleidern. Katharine Hepburn in langen Hosen ausschreitend, Lana Turner in ein Handtuch gehüllt, Claudette Colbert in einer Herrenpyjamajacke, Marilyn Monroe in irgendetwas. Tolstoj hatte ein Augenmerk auf die Details von Frauenkleidern und Frauenkörpern: Natascha auf ihrem ersten Ball und Ellens weiße Schultern über ihrem weit ausgeschnittenen Abendkleid. Jane Eyres schlichtes Kleid hebt sich wohltuend vom Flitter der törichten Frauen ab, die Rochester besuchen. Und alle diese Bilder sind Momentaufnahmen aus größeren Geschichten, die uns fesseln, Geschichten von Menschen, die ihre so komischen wie tragischen Leben und ihre romantischen Verstrickungen durchmachen.

Meine Tochter verkleidet sich. Mal ist sie eine reiche, dann eine arme, auf der Straße verhungernde Frau. Sie ist eine alte Bäuerin, die Äpfel verkauft. Sie hebt den Telefonhörer ab und sagt mit britischem Akzent: «Wir wollen jetzt lunchen.» Sie kommt die Treppe heruntergelatscht, lässt ihren Kaugummi knallen und übt sich in ihrer Brooklyn-Stimme. Sie hat Schuhe von mir an und singt «Adelaide's Lament». Sie ist ständig jemand anderes. Mein Mann sagt von mir, ich hätte mindestens zwei Persönlichkeiten, die Gelehrte mit der Brille auf der Nase und dem gebeugten Rücken und die elegante Dame. Die eine lebt mehr zu Hause. Die andere geht aus. Denken schrumpft meinen Körper, und ich vergesse ganz, wie ich aussehe. In einem guten Kleid halte ich mich kerzengerade und lasse mich nie hängen. Ich werde dem Kleid, das ich, wie ich weiß, anhabe, gerecht, obwohl ich nicht sehe, dass ich es anhabe. Andere sehen mich öfter als ich mich selbst. Meine Familie weiß besser als ich, wie ich aussehe. Ich zeige dem Spiegel ein unbewegtes Gesicht wie eine leblose Statue, und von Zeit zu Zeit erschreckt mich dieses gefrorene Bild vielleicht. Aber ich lache und lächle auch viel. Das sehe ich nie.

Letzten Endes ist Bekleidung ein Akt der Phantasie, eine Selbsterfindung, eine Fiktion. Vor einigen Jahren saß ich mit meinem Mann auf einen Drink im Carlyle Hotel. Ich hatte ein wunderschönes Kleid an. Ich erinnere mich, dass er mich über den Tisch hinweg voller Gefallen ansah und sagte: «Hast du dir als kleines Mädchen in Minnesota, wo sich Hase und Fuchs gute Nacht sagen, jemals vorgestellt, dass du einmal in diesem außergewöhnlichen Kleid in diesem eleganten Hotel sitzen würdest?»

Und ich sagte: «Ja.» Weil ich es mir natürlich vorgestellt hatte.

1996

Being a Man

Im wachen Zustand bin ich eine Frau, aber in meinen Träumen bin ich manchmal ein Mann. Meine Männlichkeit ist selten eine Frage der Anatomie. Ich entdecke nicht etwa, dass mir ein Penis gewachsen und ein Bart gesprossen ist, sondern ich merke erst, dass ich ein Mann bin, wenn ich von der vagen Erinnerung beunruhigt werde, früher eine Frau gewesen zu sein. Mein Geschlecht wird im Traum erst wichtig, wenn es in Zweifel gezogen wird. Zweifel, nicht Gewissheit, ruft zuerst die Frage nach meiner sexuellen Identität hervor und dann das Bedürfnis, das eine oder das andere zu sein, Mann oder Frau. Obwohl es heutzutage chic ist, Träume als bedeutungsloses neurologisches Geplapper abzutun, habe ich, um mich dem anzuschließen, im Schlaf zu viel entdeckt. Es ist offensichtlich, dass meine Träume von Männlichkeit, die zu einem Moment der Verwirrung führen, Aufschluss über geheime Winkel meiner eigenen verkorksten Psyche geben, aber ich glaube, sie können auch als Schlüssel für das Verständnis des größeren kulturellen Terrains dienen, wo die Grenze zwischen Weiblichkeit und Männlichkeit verhandelt wird.

Die meisten von uns akzeptieren die biologischen Gegebenheiten ihres Geschlechts und leben recht und schlecht damit, aber es gibt Zeiten, da wird der Körper wie eine Einschränkung erlebt. Für eine Frau vielleicht dann, wenn sie einen herablassenden Ton in der Stimme eines Mannes hört und sich der Tatsache stellen muss, dass nicht das, was sie sagte, diesen Ton erzeugt hat, sondern ihr Geschlecht. Solch ein Moment ist natürlich nicht leicht zu erkennen, weil jedes soziale Zusammentreffen aufgeladen ist mit Ungesagtem und Ungesehenem. Zwischen zwei Menschen entsteht zwangsläufig ein dritter Bereich, in dem das Geschlecht nur eine einzigen Kraft in einer Myriade wirksamer Kräfte ist, und doch kann sexuelle Voreingenommenheit – genauso wie Neid, Groll, Dünkel oder Rassismus – in einem Raum wie ein Geruch aufgespürt werden, und wenn der Geruch zu stark wird, weckt er eine Fluchtphantasie: Was hätte er wohl gesagt, wenn er mich als Mann gesehen hätte? Ich bin mir sicher, dass es in meinen Männlichkeitsträumen zumindest teilweise um eine Flucht aus den kulturellen Erwartungen geht, die auf der Weiblichkeit lasten, aber ich glaube, sie sind auch etwas Komplexeres, ich glaube, die Träume erkennen eine Wahrheit, dass in mir ebenso ein Mann wie eine Frau ist und dass diese Dualität tatsächlich Teil des Menschseins ist, aber kein Teil, der leicht zu vereinbaren wäre.

In meinen Träumen werde ich von meinem wirklichen Körper nicht eingeschränkt. Ich kann fliegen und habe telekinetische Kräfte. Mir ist ein Fell gewachsen, ich habe klaffende Wunden davongetragen, meine Zähne verloren und genug Blut vergossen, um darin zu ertrinken. Auch beim Schreiben erzählender Prosa lasse ich meinen wirklichen Körper zurück und werde jemand anderes, eine andere Frau oder ein Mann, wenn ich möchte. Für mich war künstlerisches Schaffen immer so etwas wie bewusstes Träumen. Der Stoff für eine Geschichte stammt nicht aus dem, was ich weiß, sondern aus dem, was ich nicht weiß, aus Impulsen und Bildern, die oft ohne mein Zutun aufkommen, ein ganz und gar seltsamer Prozess, der ins Spiel kommt, wenn ich in meinem Werk eine andere Person werde. Dabei besteht der Akt des Schreibens nur in einem: Wörter zu Papier bringen, die von jemand anderem gelesen werden sollen. Am Ende sind die Wörter alles, und streng genommen sind sie geschlechtslos. Im Englischen haben die Nomen, anders als in vielen anderen Sprachen, kein Genus, doch es ist interessant, die Frage aufzuwerfen, ob ein Text männlich oder weiblich sein kann und was ihn zu dem einen oder dem anderen machen würde.

Eltern und alle, die sich länger mit kleinen Kindern befasst haben, wissen, dass es eine Weile dauert, bis eine sexuelle Identität sich verfestigt, und dass Kleinkinder selten wissen, ob sie ein Junge oder ein Mädchen sind. Als meine Tochter drei Jahre alt war, fragte sie meinen Mann, ob sie einen Penis bekommen würde, wenn sie älter wäre. Sie stellte diese Frage in einem Abschnitt ihres Lebens, den ich die Tutu-Stöckelschuh-Phase nenne, eine Ära von Glitter und Gold, Strasskrönchen und Schuhen mit hohen Absätzen aus Plastik. Während die kleinen Jungs ihre Brust aufbliesen und Superheld spielten, trippelte meine Tochter wie eine verrückte, ziemlich verschmierte Ausgabe von Titania durchs Haus. Im selben Alter setzte die Tochter einer meiner Freundinnen eine platinblonde Marilyn-Monroe-Perücke auf und weigerte sich, sie abzunehmen. Sie aß, spielte, ging in den Park, auf die Toilette und ins Bett und hatte immer diese zunehmend versiffte weiße Perücke auf, mit der sie ihrer Mutter zufolge mehr wie Rumpelstilzchen aussah als wie eine blonde Sexbombe. Wie komisch sie für Erwachsene auch aussehen mögen, Kinder spielen mit aller Kraft, um herauszufinden, was sie sind – Junge oder Mädchen –, und sie durchleben den Unterschied über ein oft heftiges imaginäres Geschlechterrollendrama. Trotz des Optimismus einiger Forscher ist eine Antwort auf die Frage, wo die Biologie endet und die Kultur beginnt, wahrscheinlich jenseits der Wissenschaft. Sogar Säuglinge, deren unbegrenzte Existenz die Frage nach sexueller Identität von innen her absurd erscheinen lässt, sind in eine Welt hineingeboren, in der die Junge-oder-Mädchen-Frage von außen ausschlaggebend ist, lautet doch die erste Frage nach der Geburt: «Ist es ein Junge oder ein Mädchen?» Mit anderen Worten: Wir wissen es, bevor sie es wissen. Und was wir wissen, ist Teil eines weiten symbolischen Feldes, in dem die Linien zwischen dem einen und dem anderen durch den linguistischen Akt der Namensgebung gezogen werden. Sobald Kinder sich ihrer selbst als Jungen oder Mädchen sicher sind, tritt androgynere Kleidung an die Stelle der Zorro-Capes, Superman-Trikots, Krönchen und Prinzessinnenkostüme. Die äußerlichen Abzeichen von Weiblichkeit und Männlichkeit können in dem Moment abgelegt werden, wenn das Wissen um die sexuelle Identität verinnerlicht wurde, und ein Teil dieser inneren Gewissheit äußert sich in Sprache. Ein sechsjähriges Kind kann normalerweise zuversichtlich behaupten, dass er oder sie ein Junge oder ein Mädchen ist, zu einem Mann oder einer Frau heranwachsen wird und, außer er oder sie lässt sich operieren, unterwegs nicht das Geschlecht wechseln wird. Zugleich sind die tiefgreifenderen Bedeutungen von Weiblichkeit und Männlichkeit entschieden zweideutiger. *Männlich* und *weiblich* sind Wörter, die so dichte, so alte, so öffentliche, aber auch so private Assoziationen enthalten, dass es extrem schwierig ist, zwischen beiden eine klare Linie zu ziehen. Allerdings sind die Kategorien männlich und weiblich in der Sprache überaus lebendig und befrachtet mit unseren eigenen kulturellen und persönlichen Geschichten, die sich entwickeln und verändern, sodass es haarsträubend naiv ist anzunehmen, zum Beispiel *Ombudsmann* durch *Ombudsfrau* zu ersetzen werde die Sprache von ihren Geschlechterkonnotationen reinigen.

In meiner Familie waren wir vier Töchter. Meine Eltern hatten vor jeder Geburt den Namen Lars im Kopf, aber es stellte sich heraus, dass sie noch eine Generation auf ihn warten mussten. Der erste Sohn meiner Schwester bekam zu Ehren unseres Großvaters und des nie geborenen Hustvedt-Jungen den Namen Lars. Ich habe oft gedacht, es war einfacher, dass wir alle Mädchen waren. Wäre ein Junge dabei gewesen, wären wir womöglich mit ihm verglichen oder ihm entgegengesetzt worden, und die Unterschiede hätten uns alle eingeschränkt. Wir wurden paarweise geboren. Ich war die Erste. Neunzehn Monate später wurde meine Schwester Liv geboren. Dann folgte ein Abstand von fünf Jahren, bevor Asti kam und nur fünfzehn Monate später Ingrid. Wir vier waren als Kinder sehr eng verbunden und loyal zueinander und sind auch als Erwachsene treue Freundinnen, was für uns mehr oder weniger selbstverständlich war. Andererseits fand mein Mann unsere Harmonie immer bemerkenswert, aber auch irgendwie rätselhaft. Warum gibt es zwischen uns so wenige Konflikte? Als Liv und ich klein waren, spielten wir gerne Katastrophen: Schiffbrüchige, Tornados, Überschwemmungen und Krieg. Liv war immer John und ich immer Mary, was gewöhnlich bedeutete, dass John Mary retten musste. Ich wurde gern gerettet, und wie im Spiel war meine Schwester auch im Leben die Tapfere, nicht ich, und verteidigte mich mehrmals gegen Angriffe anderer Kinder, obwohl ich die Ältere war. Die beiden jüngeren Schwestern waren ein ähnliches Paar. Asti zog im Allgemeinen beim Spielen die Mädchenrolle vor, Ingrid war lieber der Junge. Liv und Ingrid lernten reiten und wurden beide Champions im Amateurrodeo. Liv wurde später Geschäftsfrau, Ingrid Architektin. Asti und ich promovierten, sie in Romanistik, ich in Anglistik.

Dieser kurze Abriss trägt dazu bei, wenn auch bei weitem nicht ausreichend, zu erklären, warum mein Mann nach zehnjähriger Ehe sich eines Morgens im Bett aufsetzte und sagte: «Jetzt ist mir alles klar. Du bist die Frau. Liv ist der Mann. Asti ist das Mädchen, und Ingrid ist der Junge.» Wir sind inzwischen alle erwachsen, verheiratet und haben Kinder, aber meine Schwestern und ich haben in dieser Feststellung etwas Wahres über unsere Familie erkannt, die vorher nie jemand ausgesprochen hatte. Obwohl wir alle Mädchen waren, stellten wir ein Muster abwechselnd weiblicher und männlicher Eigenschaften unter uns Schwestern her. Bemerkenswert daran war, dass die jeweils Jüngere in jedem Paar jeweils den etwas maskulineren Part übernahm, was dazu beitrug, das Altersdefizit auszugleichen. Die Wirkung war einfach. Die zwischen fast gleichaltrigen gleichgeschlechtlichen Geschwistern typische Rivalität wurde in jedem Paar weitgehend verringert. Man kann unmöglich miteinander wetteifern, wenn man nicht dasselbe Spiel spielt.

Einige Jahre nach dieser prägnanten Einschätzung von mir und meinen Schwestern las ich ein Buch mit gesammelten Aufsätzen von D. W. Winnicott, dem englischen Kinderarzt und Psychoanalytiker, und stieß darin auf einen Vortrag «Über die abgespaltenen männlichen und weiblichen Elemente», den er 1966 vor der British Psycho-Analytical Society hielt. Einleitend heißt es: «Als Grundlage für die Idee, die ich hier vorstellen möchte, behaupte ich, dass Kreativität einer der gemeinsamen Nenner von Männern und Frauen ist. In einer anderen Sprache indes ist Kreativität das Vorrecht der Frauen, und in wieder einer anderen Sprache ist es ein männliches Merkmal. Die letzte der drei Varianten soll uns hier beschäftigen.» Winnicott berichtet nun, wie er eines Tages, während eines Gesprächs mit einem männlichen Patienten, das Gefühl hatte, ein Mädchen zu hören, und an dieses Mädchen gewandt sagte er: «Ich höre einem Mädchen zu. Ich weiß ganz genau, dass Sie ein Mann sind, aber ich höre einem Mädchen zu ...» Der Patient erwiderte: «Wenn ich jemandem von diesem Mädchen erzählen würde, würde man mich für verrückt erklären.» Winnicott tat den nächsten Schritt: «Nicht *Sie* haben das irgendwem gesagt, sondern *ich* sehe und höre das Mädchen reden, während eigentlich ein Mann auf meiner Couch liegt. Der Verrückte bin *ich selbst.*» Der Patient antwortete: «Ich selbst könnte nie sagen: ‹Ich bin ein Mädchen› (denn ich weiß ja, dass ich ein Mann bin). Ich bin nicht so verrückt. Aber Sie haben es gesagt, und Sie haben zu meinen beiden Teilen gesprochen.»

Winnicotts Deutung dieses außergewöhnlichen Dialogs (bei dem es, wie er betont, nicht um Homosexualität geht) gründet in der Auffassung, dass die verstorbene Mutter des Mannes, die schon einen Sohn hatte, als sie ihr zweites Kind bekam, sich ein Mädchen gewünscht hatte und dem zweiten Baby hartnäckig ein falsches Geschlecht zuschrieb. Die Verkehrung war durch die «Verrücktheit» der Mutter, nicht die des Sohnes, herbeigeführt worden. Der Wunsch der Mutter war eine Lüge, die dann in dem Sohn ein quälendes Gespenst hervorbrachte: die gewünschte Tochter. Meine Schwestern und ich litten nicht wie Winnicotts Patient unter der Rolle, die wir in unserer Familie spielten; das lag wahrscheinlich daran, dass meine Mutter keine Illusionen hatte. Sie liebte ihre Babys als Mädchen. Ich nehme an, das, was mit uns geschah, kam später und hing mit unserem Vater zusammen. Wir vier lachen noch immer darüber, dass unser Vater, wenn er in der Garage Hilfe benötigte, Liv oder Ingrid rief.

Ich habe sechs Jahre an einem Buch gearbeitet, dessen Erzähler ein siebzigjähriger Mann namens Leo Hertzberg ist. Als ich anfing, den Roman zu schreiben, machte es mir etwas Angst, einem Mann Gestalt zu geben und mit einer männlichen Stimme zu sprechen. Nach kurzer Zeit fiel diese Nervosität von mir ab, und mir wurde klar, dass ich etwas anderes machte, dass dieser Sprechende aus sich selbst heraus lebte, anders als ich, und trotzdem *war* ich er. Ich schöpfte aus einem männlichen Anteil meiner selbst. Ich hatte schon vorher in meinem Werk mit sexueller Zweideutigkeit gespielt. Die Heldin meines ersten Romans, *Die unsichtbare Frau* – in der ersten Person Singular erzählt –, schneidet sich das Haar kurz, nimmt den Namen eines Jungen aus einer Geschichte an, die sie übersetzt hat, und wandert in einem Herrenanzug durch die Straßen von New York. Als ich den Text schrieb, wusste ich, dass Iris diesen Anzug anziehen musste, aber ich wusste überhaupt nicht, wieso, außer dass ihr *cross-dressing* mit ihrer Übersetzung der deutschen Novelle *Der brutale Junge* zusammenhing – eine Bewegung von einer Sprache in eine andere, und dass sie, indem sie so tat, als wäre sie ein Mann, Verletzbarkeit verliert und Macht gewinnt, die sie unbedingt braucht. Bisher ist mir nie aufgefallen, dass das Einnehmen einer männlichen Position als Überlebenstechnik in meiner eigenen Familie wurzelt, dass Iris im Anzug die Dualität und Unsicherheit meiner Träume auslebt und dass sie, indem sie sich als männliche Figur neu erfindet, imstande ist, sich ihre eigene Rettung auszudenken. Als «Klaus» spricht sie auch anders, flucht und legt sich etwas überheblich Angeberisches zu, das sie mit Männern assoziiert. Vor einiger Zeit lernte ich eine Psychoanalytikerin kennen, die mir erzählte, sie gebe manchen ihrer weiblichen Patientinnen *Die unsichtbare Frau* zu lesen. «Geht es ihnen danach nicht schlechter?», fragte ich, halb ernst, halb zum Spaß. «Nein», sagte sie. «Es hilft ihnen einzusehen, dass es wichtig ist, sich abzugrenzen.» Iris' *cross-dressing* ist defensiv, eine Flucht aus der Offenheit, Fragilität und Grenzenlosigkeit, die sie mit ihrer Weiblichkeit verbindet.

Leo zu sein war kein Akt der Übersetzung. Nach einer Weile hörte ich ihn. Ich hörte einen Mann. Es ist wohl unerklärlich, woher er kam, aber ich bin davon überzeugt, dass ich ihn aus der Erfahrung bezog, den Männern zuzuhören, die ich geliebt habe und liebe, besonders meinen Vater und meinen Mann, aber auch anderen, die entscheidend für meine intellektuelle Entwicklung waren – jene körperlosen männlichen Stimmen in den zahllosen Büchern, die ich im Lauf der Jahre gelesen habe. Ihre Worte sind in mir, aber genauso die Worte von Schriftstellerinnen: Jane Austen, Emily und Charlotte Brontë, George Eliot, Emily Dickinson, Gertrude Stein, Djuna Barnes haben meine Phantasie ebenso verändert, und ich meine damit nicht sexuelle Unterschiede im körperlichen Sinn, sondern wiederhole Winnicott: «Ich dachte nicht mehr an Jungen oder Mädchen oder Männer und Frauen», schreibt er, «sondern ich dachte in Begriffen wie männliche und weibliche Elemente in beiden.» Nach langjähriger Erfahrung lernte Winnicott, seinen Patienten in einer die Anatomie überschreitenden Art und Weise zuzuhören. Lesen heißt, den Schreiber nicht sehen. Marian Evans wurde George Eliot, um ihr Geschlecht zu verstecken, und es funktionierte eine Weile. Flauberts Erklärung *«Madame Bovary, c'est moi»* ist so ernst gemeint wie alles, was er je gesagt hat.

Als Leserin von Büchern bin ich davon überzeugt, dass Wörter eine nahezu magische Kraft haben, nicht nur weitere Wörter zu erzeugen, sondern flüchtige Bilder, Gefühle und Erinnerungen. Manche Romane und Gedichte hatten die Kraft, rohe, unbekannte Teile von mir aufzudecken, spiegelten etwas, wovon ich vorher nichts gewusst hatte. In jedem Buch fehlt der Körper des Schreibers, und diese Abwesenheit macht die Buchseite zu einem Ort, an dem wir wirklich frei sind, dem Mann oder der Frau zuzuhören, die spricht. Wenn ich ein Buch schreibe, höre ich auch zu. Ich höre die Figuren sprechen, als wären sie außerhalb von mir, statt in mir. In einem Buch hörte ich eine junge Frau, die spielte, ein Mann zu sein; in einem anderen hörte ich einen Mann. In meinen Träumen werde ich zwischen den Geschlechtern hin- und hergerissen und frage mich, welches meins ist. Dass ich es nicht weiß, lässt mir keine Ruhe, aber wenn ich schreibe, wird eben diese Ambivalenz meine Befreiung, und ich bin frei, mich in Männer und Frauen hineinzuversetzen und ihre Geschichten zu erzählen.

2003

Abschied von der Mutter

Es war Besuchswochenende im Sommerlager, und ich saß mit meiner zwölfjährigen Tochter Sophie auf ihrer Koje und hatte die Arme um sie gelegt. Am anderen Ende der Hütte hörte ich ein Mädchen jammern: «Ich wünschte, meine Mutter würde kommen. Wo ist sie?» Ein anderes Mädchen, das flach auf dem Rücken lag, schickte die Klage an die Zimmerdecke: «Ja, ich möchte auch auf dem Schoß meiner Mutter sitzen.» Sie warteten noch auf ihre Mütter. Als die Eltern dann später wieder abfuhren, weinten einige Kinder, andere nicht. Manche klammerten sich verzweifelt an ihre Mütter und Väter. Andere umarmten sie nur schnell und routinemäßig. Ein altgedienter Beobachter von Besuchswochenenden sagte mir, er könne geschiedene Elternteile ausmachen, weil der Freund oder die Freundin bzw. der Stiefvater oder die Stiefmutter immer in einem respektvollen Abstand von mindestens fünf Schritt abseitsstanden, wenn die Mutter oder der Vater sich von dem Kind verabschiedete. Abschiede bereiten auf Trennungen vor, und es ist nicht leicht, sich von seiner Mutter und seinem Vater zu trennen, obwohl wir das am Ende alle tun. Mein Mann sagt gern, dass es unsere Aufgabe als Eltern ist, Kinder großzuziehen, die stark genug sind, fortzugehen und gut ohne uns zurechtzukommen.

Als ich sieben war und meine Schwester Liv fünf, verabschiedeten wir uns von unserer Mutter und unserem Vater und nahmen mit unserem Großonkel David den Zug nach Chicago. Er war nicht unser wirklicher Onkel, sondern der Cousin meines Großvaters, und 1962 war er schon ein alter Mann, vermutlich Anfang achtzig. Onkel David hatte immer zu unserem Leben gehört, und Liv und ich mochten ihn sehr. Er hatte im Alter von zweiundzwanzig Jahren Norwegen verlassen, um sein Glück in Amerika zu machen, und war in der Umgebung von Chicago gelandet, wo er als Tischler gearbeitet hatte. Onkel David war ein lieber Kerl. Er ging jeden Tag meilenweit spazieren, spielte anstrengende Spiele mit uns und zeigte uns seine Zuneigung mit plötzlichen wilden Umarmungen, die trotz der Tatsache, dass sie begeistert waren, auch entschieden unangenehm waren.

Ich erinnere mich nicht, etwas anderes als Aufgeregtheit empfunden zu haben, als meine Schwester und ich mit Onkel David in den Zug stiegen, und ich habe keine bewusste Erinnerung an den Abschied von meinen Eltern. Liv und ich spürten, dass diese Reise das Abenteuer unseres Lebens werden würde, und wir ließen uns aus vollem Herzen darauf ein. Es fing gut an. Wir saßen auf unseren großen Sitzen im Zug gegenüber von Onkel David, als plötzlich zwei Männer mit roten Halstüchern vor der Nase durch den Wagen stürmten. Ihnen dicht auf den Fersen kamen zwei Polizisten mit Gewehren. Erstaunt fragten Liv und ich Onkel David, wer diese Männer seien. Ungerührt sagte er: «Wahrscheinlich Gepäckräuber.» Meine Schwester und ich waren entzückt: richtige Räuber.

Onkel David wohnte bei seiner unverheirateten Tochter, einer Lehrerin, die wir Tante Harriet nannten. Ihr Haus war dunkel, soweit ich mich erinnere. Vielleicht waren die Vorhänge oft zugezogen, oder es kam nicht viel Licht durch die Fenster – ich weiß nicht –, aber es war ein düsterer Ort, und es roch alt. Am ersten Abend sagte Tante Harriet zu uns: «Geht jetzt nach oben in die Badewanne.» Liv und ich sahen uns an, stiegen die Treppe hinauf, öffneten die Badezimmertür, gingen hinein und starrten die Badewanne an. Wir hatten noch nie allein gebadet. Wir hatten noch nie allein das Badewasser angestellt. Unsere Mutter ließ das Bad ein. Sie wusch uns das Haar und wärmte Handtücher im Trockner vor, damit wir uns nicht erkälteten. Im Winter wickelte mein Vater uns oft in diese warmen Handtücher, nahm uns in die Arme und setzte uns vor einem offenen Feuer ab. Ich erinnere mich deutlich, dass Liv und ich berieten, was wir tun sollten. Man hatte uns etwas befohlen. Es kam uns überhaupt nicht in den Sinn, nicht zu gehorchen, und auch nicht, um Hilfe zu bitten. Wir nahmen ein Bad – in wenig kaltem Wasser. Es dauerte ungefähr zwei Minuten.

Wir verließen Highwood in den darauffolgenden Tagen kein einziges Mal. Wenn Tante Harriet zur Arbeit ging, unterhielt uns Onkel David. Ein Höhepunkt des Besuchs, an den ich mich mit überwältigender Klarheit erinnere, war der Nachmittag, an dem Onkel David uns in sein Zimmer winkte. Während meine Schwester und ich zusahen, ließ er sich genießerisch auf sein Bett sinken, die Schuhe auf dem Bettüberwurf, und holte überaus feierlich einen Geldschein aus seiner Brieftasche. Wir beugten uns vor, um ihn anzuschauen. Es war ein Hundert-Dollar-Schein. Wir hatten noch nie so viel Geld auf einmal gesehen. «Wann immer ihr so einen braucht, könnt ihr zu mir kommen», sagte er. Liv und ich waren tief beeindruckt.

Ich weiß nicht mehr, wann ich anfing, Heimweh zu haben und meine Eltern zu vermissen, aber ich habe den Verdacht, dass es nur wenige Tage waren. Der ganze Besuch kann nicht länger als zwei Wochen gedauert haben. Was ich heute interessant finde, ist, dass ich das Gefühl vor mir selbst nicht formulierte. Ich sagte nicht: «Ich will nach Hause» oder «Ich habe Heimweh». Gleichzeitig spürte ich ganz stark, dass Liv und ich dieselben Gefühle hatten, ob wir darüber sprachen oder nicht. Wir gluckten zusammen, diskutierten, wie anders es bei Onkel David war als das, was wir gewohnt waren, aber wir weinten nicht und baten nicht, dass etwas geändert werden sollte. Dann schrieb ich einen Brief nach Hause. Ich glaube, es war ein fröhlicher Brief, in dem ich meiner Mutter und meinem Vater von unseren Erlebnissen in Highwood berichtete, aber mit dem Brief schickte ich eine Zeichnung von Jesus. Die Geschichten aus der Bibel, die ich in der Sonntagsschule gelernt hatte, hatten mich sehr beeindruckt, und mit sieben war ich ein frommes Kind. Gott und Engel und Wunder und die schreckliche Geschichte der Kreuzigung waren in mir lebendig, und so kam ich auf die Idee, ein Bild von Jesus im Garten Gethsemane zu malen, wie er zu Gott, seinem Vater betet, bevor er weggeführt und gekreuzigt wird. Ich gab mir große Mühe. Ich fand, es war das beste, schönste Bild, das ich je gemalt hatte. Christus kniete im Gebet und trug, glaube ich, ein blaues Gewand. Ich faltete es zusammen und schickte es mit dem Brief ab.

Meine Mutter warf einen Blick auf das Bild und beschloss, nach Chicago zu fahren. Meinerseits war die Botschaft des Bildes ganz und gar unbewusst gewesen, aber meine Mutter las sie richtig. Sie hieß: «Nimm diesen Kelch von mir.» Ich erinnere mich immer noch an den Anblick meiner Mutter am Bahnhof, an den Klang ihrer Stimme, das Gefühl ihres Körpers und den Geruch ihres Parfüms, als Liv und ich uns in ihre offenen Arme warfen.

Diese Reise und die Ankunft meiner Mutter stehen mir so deutlich vor Augen wie andere Erlebnisse in meiner Kindheit. Onkel David und Tante Harriet sagten uns nicht, dass unsere Mutter kommen würde. Später erzählte sie mir, sie sei gegen diesen Plan gewesen, aber sie habe die beiden nicht von der Idee einer Überraschung abbringen können. Weil wir keine Ahnung hatten, kam ihr Erscheinen Liv und mir wie Zauberei vor, wie ein Wunsch im Märchen, der in Erfüllung geht. Dieser Eindruck von Zauberei wurde noch dadurch verstärkt, dass ich nach meiner Mutter gerufen hatte, ohne davon zu wissen, und dass sie, begabt mit etwas, was mir als übernatürliche Einfühlung in die geheimsten Winkel meiner Seele erschien, auf den Ruf reagierte und erschien.

Weil unsere Mütter unsere erste Liebe sind, weil wir uns über sie allmählich als Einzelwesen in einer neuen Welt wiederfinden, haben sie, im Guten wie im Schlechten, eine ungeheure Macht. Liv und ich waren von unseren Verwandten freundlich behandelt worden, und doch war der Besuch bei ihnen für uns beide das erste Hinauswagen in eine fremde Umgebung. Ich erinnere mich an die fremden Bettdecken und die komischen Müslischüsseln. Ich erinnere mich sogar an das vergilbende Gras im Garten, als wäre selbst die Natur von einer anderen Realität berührt. Durch Erfahrung verlieren Erwachsene dieses intensive Gefühl des Unvertrauten – nicht *zu Hause* zu sein. Wäre unsere Mutter bei uns gewesen, hätten Liv und ich den Wechsel nicht so stark empfunden. Es war nun einmal so, dass die Vorstellung von Zuhause und die von unserer Mutter und unserem Vater untrennbar waren.

Mit sieben war ich durchaus alt genug, die Realität zu erfassen, sicher zu sein, dass ich meine Eltern wiedersehen würde, und doch sehnte ich mich nach ihnen. Meine Eltern waren wie der Boden unter meinen Füßen. Ohne sie fühlte ich mich in der Luft hängen und aufgeschmissen. Jeder, der je ein Baby hatte, weiß, dass ein acht Monate altes Kind zum Beispiel *nicht* sicher ist, ob man wiederkommt, sodass es genügt, aus dem Zimmer zu gehen, um wütenden Protest auszulösen. Ich erinnere mich, dass meine Tochter, als sie gerade laufen gelernt hatte, plötzlich zu nörgeln anfing, wenn ich telefonierte. Man muss nicht aus dem Zimmer gehen, um ein Kind zu verlassen. Mein Wunsch, mit jemand anderem zu sprechen, genügte, um Angst und Ärger in ihr wachzurufen. Wenn ich nicht telefonierte und ganz zu ihrer Verfügung stand, entfernte sie sich oft von mir, war auf einmal sehr geschäftig und scheinbar meiner Anwesenheit nicht bewusst. Da liegt der Hase im Pfeffer. Die wirkliche Unabhängigkeit eines Kindes ist das Ergebnis einer starken, beruhigenden elterlichen Präsenz, und eben diese Präsenz nehmen wir mit, wenn wir dann endgültig von zu Hause weggehen.

Obwohl ich zu Hause arbeite, habe ich meine Tochter häufiger verlassen als meine Mutter mich. Als Sophie vier war, machte ich eine zweieinhalbwöchige Lesereise in Deutschland. Sie blieb mit ihrem Vater und meiner Mutter zu Hause, die sie beide vergöttern und bestens versorgten. Als ich zurückkam, klammerte sie sich an mich, war aber entschieden kühl zu meiner Mutter. Man braucht kein brillanter Psychologe zu sein, um zu wissen, dass sie nicht meiner Mutter böse war, sondern mir, weil ich sie verlassen hatte, und doch wurde die Ersatzmutter bestraft. Viele Stiefeltern haben das am eigenen Leib erlebt – die Zielscheibe verschobener Wut zu sein. Wann immer ich in den nächsten zwei Jahren verreiste, sah meine Tochter mich an und sagte: «Du fährst doch nicht nach Deutschland, oder, Mommy?» *Deutschland*, ein Land, das sie nie auf einer Landkarte hätte finden können, wurde für sie zum Symbol meiner Abwesenheit, und während ich mich freute, beruflich zu verreisen, deutete das Leid meines eigenen Kindes, das von Menschen versorgt wurde, die es liebten und die von ihm geliebt wurden, darauf hin, dass selbst eine ideal scheinende Trennung Spuren hinterlässt. Als Sophie neun war, reiste ich aus Anlass meines zweiten Romans wieder nach Deutschland. Inzwischen hatte der Name des Landes seine schmerzliche Konnotationen verloren, und sie freute sich, während meiner Abwesenheit und danach mit ihrer Großmutter zusammen zu sein. Die Neunjährige war emotional viel besser gerüstet, meine Abreise zu verstehen, als es die Vierjährige gewesen war.

Wie man weiß, nehmen kleine Kinder die Abwesenheit von Eltern oft persönlich und fühlen sich irgendwie dafür verantwortlich, wenn ein geliebter Elternteil weg ist. Alle kleinen Kinder lieben ihre Eltern, gleichzeitig fühlen sie sich omnipotent, und wenn der Elternteil verschwindet, können sie nicht anders als vermuten, ihre aggressiven Gefühle hätten etwas damit zu tun. Und wenn sie sich ihrer größten Liebe gegenüber wehrlos fühlen, lassen sie ihre Wut anderswo aus – an einem sichereren Gegenstand. Ich kannte einen kleinen Jungen, der, während sein Vater weg war, seinen geliebten Onkel wiederholt «Blödmann» nannte. Alle Väter waren verdächtig. Als sein Vater zurückkam, schlug der Junge den Elternteil, den er vermisst hatte, mit seinen kleinen Fäusten, bevor er ihn unter Tränen leidenschaftlich umarmte.

Die normalen Qualen der Liebe und Wut, die die meisten Kinder erleiden, wenn sie von einem Elternteil getrennt sind, werden im Allgemeinen geheilt, wenn dieser zurückkommt. Manche Trennungen verheilen nicht. Zum Beispiel wenn ein Kind oder ein Elternteil wegen einer Krankheit oder Verletzung ins Krankenhaus muss. In seinem Buch *Thinking About Children* erzählt D. W. Winnicott, der englische Kinderarzt und Psychoanalytiker, die Geschichte einer Vierjährigen, die er wegen einer möglichen Tuberkulose in einem Krankenhaus behandelte. «Sie ist ein feierliches kleines Mädchen», schreibt er, «und in ihr ist keine Lebensfreude.» Dann findet Winnicott heraus, dass das Kind mit zwei Jahren wegen Diphtherie ins Krankenhaus eingeliefert wurde. Sie war *im Schlaf* abgeholt worden und wachte in einer fremden Umgebung, mit fremden Menschen im Raum auf, und danach durfte ihre Mutter sie drei Monate lang nicht besuchen! Man kann die Verzweiflung dieses Kindes nur erahnen, nun wieder in einem Krankenhausbett zu liegen. Winnicott fügt hinzu: «Womöglich wird sich die Art, wie sie von zu Hause fortgeschafft wurde, als großes Trauma für die emotionale Entwicklung erweisen. Ich kann es nicht sagen.»

Winnicott ist auf seine typische Weise ehrlich. Wir können eine Geschichte nur rückwärts, nicht vorwärts erzählen, aber als Eltern müssen wir zumindest verstehen, dass unser Kommen und Gehen, unsere An- und Abwesenheiten eine heikle Sache sind. Wie man weiß, sind Kinder, die mehrfach verlassen und von einer Pflegestelle zur anderen geschoben werden, oft in ihrer kognitiven Entwicklung und in ihrem Verhalten gestört, und manchmal wird aus Liebe rasende Wut. Im zweiten Band seines klassischen Werks *Bindung und Verlust* zitiert

John Bowlby aus zwei Fallstudien über Jugendliche, die ihre Mütter getötet hatten. Der eine Junge sagte: «Ich konnte es nicht ertragen, dass sie mich verlassen wollte.» Der andere, der eine Bombe im Koffer seiner Mutter versteckte, als sie ein Flugzeug nehmen wollte, sagte bloß: «Ich hatte beschlossen, dass sie mich nie wieder verlassen würde.»

Der Vierjährige, der seinen Vater boxt, weil er ihn verlassen hat, und die Jugendlichen, die einen Muttermord begehen, mögen aussehen wie Geschöpfe von verschiedenen Planeten, aber der Unterschied ist womöglich nur graduell, nicht qualitativ. Traumatische Trennungen von Eltern sind oft mit Kriminalität verknüpft worden, und wenn eine physische Trennung noch durch die emotionale Distanz oder Zurückweisung eines Elternteils verstärkt wird, kann der Schaden, den ein Kind nimmt, unwiderruflich sein.

Während ich im Sommercamp meiner Tochter saß und die beiden Mädchen über die verspätete Ankunft ihrer Mütter klagen hörte, erinnerte ich mich daran, wie lang die Kindheit ist, dass ein Sommer sich wie ein Jahr und ein Jahr sich wie ein Jahrzehnt anfühlt. Ich erinnerte mich an die Reise nach Chicago, an den Hundert-Dollar-Schein, die magische Ankunft meiner Mutter und daran, dass Liv und ich im Zug nach Chicago nicht das kleinste bisschen Angst empfanden, als wir diese Gepäckräuber an uns vorbeirasen sahen, dass jedoch der Anblick der leeren Badewanne, ohne eine Mutter, die das Wasser einlaufen lässt, uns gewaltig erschreckte. Kurzum, ich erinnerte mich an mich selbst als Kind. Ich sah meine Tochter an, die jetzt bald ein Teenager sein würde, und mir kam der Gedanke, dass ich meine Erinnerungen lebendig halten sollte, dass, wenn ich mich an die mitunter bitteren Prüfungen erinnere, die dieses Alter mit sich bringt, wir beide, sie und ich, unsere unvermeidliche Trennung besser bewältigen werden, die Trennung, die das Abenteuer ihres eigenen Lebens eröffnen wird, eines Lebens, das sie allein hinkriegen wird.

1999

Mit Fremden leben

In Minnesota auf dem Land, wo ich aufwuchs, war es üblich, jeden, dem man auf der Straße begegnete, mit einem «Hallo» zu grüßen, ob man ihn nun kannte oder nicht. Ein dumpfes, gemurmeltes, unmoduliertes «Hallo» war durchaus annehmbar, aber das Wort musste gesagt werden. Schweigend an jemandem vorbeizugehen war nicht nur ungezogen; es konnte zu dem Vorwurf führen, ein Snob zu sein – die allerschlimmste Sünde in meinem kleinen Winkel im Staat der Gleichheit.

Als ich 1978 nach New York zog, entdeckte ich schnell, was es bedeutet, unter Horden von Fremden zu leben, und wie unpraktisch und unklug es wäre, alle zu grüßen. In meiner Zweizimmerwohnung in der West 109th Street hörte ich die Decke knarren, wenn mein Nachbar über mir herumging. Ich lauschte den lautstarken Auseinandersetzungen des Paares unter mir; ihre vor Wut rasenden Stimmen wurden untermalt von dumpfen Schlägen und Gepolter und dem Klirren von zerbrechendem Glas. Mein einziger Ausblick ging auf die schwarze Wand eines keine zehn Meter entfernten Hauses. Wenn ich nachts im Bett lag, beobachtete ich manchmal die beiden jungen Männer, die auf der anderen Seite des Lichtschachts wohnten, wie sie sich, nur in Unterwäsche, in ihrem erleuchteten Fenster lässig hin und her bewegten. Wenn ich mich auf dem Bürgersteig durch die Menschenmenge schlängelte, wurde ich angerempelt, gestoßen, zur Seite gedrängt. In der U-Bahn fand ich mich auf einmal in engstem Kontakt mit Leuten, die ich nicht kannte, und mein Körper war so dicht an sie gepresst, dass ich ihr Haaröl, ihr Parfüm und ihren Schweiß riechen konnte. In meinem früheren Leben gab es solche Nähe ausschließlich mit Freunden oder mit der Familie. Es dauerte nicht lange, bis mir der ungeschriebene Code für ein Überleben in dieser Stadt in Fleisch und Blut übergegangen war – eine wortlos, aber nachdrücklich vermittelte Vereinbarung. Dieses einfache Gesetz, das fast jeder New Yorker, wann immer es geht, befolgt, lautet: *Tu so, als wäre nichts.*

Diese allseits angewandte Technik, um zurechtzukommen, trennt New Yorker von Touristen und Alteingesessene von Neuankömmlingen. Ein iranischer Freund erzählte mir, wie er etwa eine Woche nach seiner Ankunft in der Stadt mit dem Second-Avenue-Bus nach Uptown gefahren war. In der Twenty-fourth Street war eine Frau eingestiegen, die nur einen fadenscheinigen Bademantel über ihrem nackten Körper trug. Als sie beim Fahrer ankam, begann sie ihre Taschen nach etwas abzutasten, und rief dann, mit erschrockenem Gesicht: «Meine Münze! Meine Münze! O Gott, ich muss sie in dem anderen Bademantel vergessen haben!» Der Fahrer seufzte und winkte sie in den Bus. Mein Freund hatte die Frau während der ganzen Szene angestarrt, schämte sich aber ein wenig, als er merkte, dass er der Einzige war. Niemand hatte die Frau einmal, geschweige denn zweimal angesehen.

Voriges Jahr im Oktober saß ich im F-Train, als ich einen Mann mit wirrem Blick einsteigen sah. Er verkündete dröhnend einige Verse aus der Offenbarung, und dann hielt er uns mit genauso lauter Stimme eine Predigt, der 11. September sei die gerechte Strafe Gottes für unsere Sünden. Ich konnte den eisigen, unbeugsamen Widerstand der Fahrgäste spüren, aber kein Einziger von uns sah sich nach ihm um.

Vor ein paar Wochen gingen mein Mann und ich nach einer Aufführung in der Brooklyn Academy of Music an der Atlantic Avenue Station die Treppe hinunter, um auf die Linie 2 zu warten. Ich war müde und wollte mich hinsetzen und entdeckte eine Bank mit mehreren leeren Plätzen. Ganz am Ende saß ein Mann mit fünf oder sechs Plastiktüten, und obwohl er etwa 15 Meter entfernt war, spürte ich, dass man ihn besser meiden sollte, weil er sogar auf diese Distanz stumme Feindseligkeit ausstrahlte. Von der Anwesenheit meines Mannes bestärkt, ging ich trotzdem zu der Bank. Wir setzten uns ans äußerste Ende, sodass vier leere Sitze zwischen dem Mann und uns waren. Nach etwa einer Minute sammelte er seine Tüten ein, schlurfte an uns vorbei und spuckte in unsere Richtung. Er hatte nicht besonders gut gezielt, doch als ich nach unten blickte, sah ich ein winziges glänzendes Speichelpünktchen in Kniehöhe auf meiner Hose. Wir ließen es dabei bewenden.

Diese drei Geschichten – die Bademantel-Lady, der fanatische Prediger und der Spucker – sind Beispiele für eine aufsteigende Reihe von anstößigem Verhalten, dem man vielleicht mit dem Gesetz des *Tu so, als wäre nichts* begegnen kann. Doch, worauf mein Mann im Fall des Spuckers hinwies, hätte ich mehr Speichel an mir gehabt, hätte er sich zum Handeln gezwungen gefühlt. Und Handeln kann, wie jeder in der Stadt weiß, gefährlich sein. Im Allgemeinen ist es besser, die Unvorhersehbaren unter uns wie Gespenster zu behandeln, wandelnde Phantome, die ihre einsamen Erzählungen einem Publikum vorspielen, das taub, stumm und blind zu sein scheint.

Etwas zu unternehmen mag je nach Lage der Dinge und jeweiligem Standpunkt als mutig betrachtet werden oder einfach als dumm. Vor etlichen Jahren wurde mein Mann Zeuge eines denkwürdigen Wortwechsels in einer U-Bahn Richtung Penn Station. Ein sehr großer Schwarzer kam mit einer Frau in den Wagen, die sehr knappe Shorts und hohe Vinyl-Stiefel trug. Beide schienen unter dem Einfluss irgendeiner starken pharmazeutischen Substanz zu stehen. Die Frau fand einen Sitzplatz und nickte gleich ein. Der Mann schwankte, holte eine Zigarette heraus und zündete sie an. Sekunden nach diesem Regelverstoß erhob ein kleiner Weißer mit blondem Haar, ein Mann Ende zwanzig in einem bis oben zugeknöpften Trenchcoat, höflich Einspruch. «Entschuldigen Sie die Störung, Sir», sagte er mit einem offensichtlich irgendwo im Mittelwesten geprägten Tonfall, «aber ich möchte Sie darauf hinweisen, dass Rauchen in der U-Bahn verboten ist.» Der große Mann sah abschätzend auf ihn hinunter, überlegte und gab dann mit wohlklingender tiefer Stimme den Satz von sich: «Woll'n Sie sterben?»

Die meisten New Yorker Geschichten hätten hier geendet, aber diese nicht. Nein, gab der Kleine zu, er wolle nicht sterben, aber er sei auch noch nicht zu Ende mit dem, was er sagen wollte. Er ließ nicht locker und setzte sich weiter für das Gesetz und seine nachweisbare Richtigkeit ein. Der Große paffte seine Zigarette und musterte seinen Gegenspieler mit wachsender Amüsiertheit. Die Bahn hielt. Zeit für den Raucher auszusteigen, aber bevor er seinen Abgang machte, wandte er sich zu dem unermüdlichen kleinen Mann aus dem Mittleren Westen, nickte und sagte: «Ich wünsche einen sorglosen Dale Carnegie.»

Diese Geschichte endete gut und mit Witz, aber sie trägt keine moralische Erkenntnis zu der Frage bei, wann man handeln soll und wann nicht. Sie ist nur eines der in dieser Stadt zwischen Fremden ablaufenden Dramen, die oft wenig gemeinsam haben, außer dass sie alle zu diesem Ort gehören. Es gibt jedoch Momente, in denen ein Lächeln oder eine gut getimte Bemerkung den Verlauf dessen ändern können, was andernfalls womöglich ein trauriges Ereignis geworden wäre. In den letzten eineinhalb Jahren hat meine fünfzehnjährige Tochter den starren, leeren Gesichtsausdruck verfeinert, der zum Tu-so-Gesetz dazugehört, weil sie jeden Tag auf dem Weg von Brooklyn zu ihrer Schule auf der Upper West Side von Manhattan und zurück einige Stunden in der U-Bahn verbringt. Den Walkman fest in den Ohren, stellt sie sich taub, wenn der unvermeidliche Streuner auftaucht und sie anzumachen versucht.

Eines Tages saß sie einem «weißen Typ um die dreißig» gegenüber, der sie so schamlos anstarrte, dass sie sich unbehaglich fühlte. Sie vermied es, ihn anzusehen, und war erleichtert, als der Mann endlich ausstieg. Aber bevor der Zug wieder anfuhr, warf der mit den Stielaugen sich gegen das Fenster vor ihr und trommelte an die Scheibe: «Ich liebe Sie!», schrie er. «Ich liebe Sie! Sie sind das schönste Mädchen, das ich in meinem Leben gesehen habe!» Sophie starb vor Verlegenheit und rührte sich nicht. Die Mitreisenden taten so, als wäre der Mann ein unsichtbarer Stummer, doch als sich der Zug rumpelnd in Gang setzte und den theatralischen Troubadour hinter sich ließ, blickte der Mann neben ihr von seiner Zeitung auf und sagte trocken: «Sieht aus, als hätten Sie einen Bewunderer.»

Sophie fühlte sich besser. Indem er den Code durchbrach,

gab der Mann sich als Zeuge für etwas zu erkennen, was trotz des Tu-so ein sehr öffentlicher Ausbruch gewesen war. Sein Understatement betonte nicht nur die in der Szene enthaltene Komik; es enthob meine Tochter der einsamen Qual, Gegenstand ungewollter Aufmerksamkeit unter Fremden zu sein, die kollektiv ein Spiel des Auslöschens betreiben. Mit diesen wenigen Worten, und ohne sich etwas zu vergeben, schenkte er ihr, was sie brauchte – ein Gefühl von normaler menschlicher Solidarität.

Wie sehr wir auch *so tun* mögen, als ob wir etwas nicht sehen oder hören oder manchmal riechen, wenn wir uns durch New York bewegen – die meisten von uns sehen, hören und riechen in Wirklichkeit eine Menge. Hinter der Maske des Nichtbeachtens liegt Wachsamkeit (oder Erschöpfung von so viel Wachsamsein). Auf einer Straße auf dem Land vor sich hinzuträumen ist eine Sache. Auf der Fifth Avenue mit Hunderten anderen auf demselben Bürgersteig vor sich hinzuträumen eine ganz andere. Aber weil wir uns hier so dicht drängen, ist das aktive Erkennen anderer eine Frage der Entscheidung geworden. Dennoch gehören Komplimente, Beschimpfungen, Scherze, Lächeln und echte Gespräche unter Fremden zum Lärm der Stadt, zu ihrem Reiz, ihrem Charme. Die ganze Zeit strikt nach dem Gesetz des Tu-so zu leben wäre unerträglich fad. Wir Großstädter, sowohl die hier Geborenen und Aufgewachsenen als auch Konvertiten wie ich, genießen es, schnell zu reagieren, eine Szene richtig einzuschätzen und die Entscheidung zu treffen, ob man handelt oder nicht. Meistens isolieren wir uns, weil es nötig ist, aber hin und wieder stoßen wir zueinander vor und entdecken unerwartet hohe Intelligenz oder ein großes Herz oder ganz einfach Liebenswürdigkeit. Und jedes Mal werde ich dann an eine Wahrheit erinnert: Jeder hat ein Innenleben, das so groß und komplex und reich ist wie mein eigenes.

Manchmal wird man von einem kurzen Austausch mit einem unbekannten Menschen für immer geprägt, nicht weil er tiefgehend wäre, sondern weil er ungewöhnlich lebhaft ist. Vor über zwanzig Jahren sah ich einmal einen Mann auf dem Bürgersteig des Broadway Ecke 105th Street liegen. Ich schätzte ihn auf Anfang sechzig, aber vielleicht war er jünger. Unrasiert, schmutzig und in Lumpen lag er, scheinbar weggetreten, auf der Seite und umklammerte eine Flasche in einer zerrissenen, zerknüllten Tüte. Als ich an ihm vorbeiging, stützte er sich plötzlich auf den Ellbogen und rief mir zu: «He, du Schöne! Willst du heute Abend mit mir essen gehen?» Seine Frage war so laut, so direkt, dass ich stehen blieb. Ich sah zu dem Mann zu meinen Füßen hinunter und sagte: «Vielen Dank für die Einladung, aber ich habe heute Abend schon was vor.» Ohne das geringste Zögern grinste er mich an, hob die Flasche zu einem spöttischen Toast und sagte: «Heute Mittag?»

2003

9/11, ein Jahr danach

I

9/11 ist das internationale Kürzel für einen Katastrophenmorgen in den Vereinigten Staaten geworden und für die dreitausend Toten, die er hinterließ. Die beiden Zahlen sind in den Wortschatz des Grauens eingegangen: zu den Ortsnamen und ideologischen Bezeichnungen, mit denen an Dutzende, Hunderte, Tausende, manchmal Millionen Opfer erinnert wird – Worte wie My Lai, Oklahoma City, die «Verschwundenen» in Argentinien, Sarajevo, Kambodscha, die Kollektivierung, die Kulturrevolution, Auschwitz. 9/11 bedeutet auch eine Schwelle, eine Art der Zeitrechnung: vorher und nachher, prä und post. Mit dem Datum wurde der Anbruch einer neuen Ära, eine ökonomische Bruchlinie, der Beginn eines Krieges, die Existenz des Bösen in der Welt und der Verlust der amerikanischen Unschuld bezeichnet. Doch für uns New Yorker, ob wir den Angriff nun aus nächster Nähe oder aus größerer Entfernung erlebten, bleibt 9/11 eine persönlichere Erinnerung. In den Wochen danach lautete die erste Frage an Freunde und Nachbarn, die wir seit dem Angriff nicht gesehen hatten: «Sind in deiner Familie alle gesund? Hast du jemanden verloren?»

Die von den Medien gestellte Frage «Wie hat sich das Leben in der Stadt seit dem 11. September verändert?» ist in der hiesigen und in der ausländischen Presse wieder und wieder abgehandelt worden, aber sie kann nicht beantwortet werden, ohne auf den Tag selbst einzugehen. Es kann kein Vorher und Nachher, kein Reden über Veränderungen geben ohne unsere Geschichten von jenem Tag und den vielen Tagen, die folgten, denn selbst für die unter uns, die Glück hatten und keinen geliebten Menschen verloren, ist 9/11 letztlich die Geschichte eines kollektiven Traumas und anhaltender Trauer.

Zwölf der dreißig Feuerwehrmänner unserer Feuerwache in Brooklyn starben unter dem einstürzenden World Trade Center. Charlie, der Besitzer des Wein- und Spirituosengeschäfts ein paar Straßen von unserem Haus entfernt, der meinem Mann und mir seit Jahren bei der Weinbestellung half, hat seine Schwägerin verloren. Sie war Stewardess in dem Flugzeug, das in Pennsylvania abstürzte. Die Terroristen schlitzten ihr die Kehle auf. Freunde von uns, die in der John Street wohnen, saßen nach dem Einsturz der Türme in ihrem Haus fest. Die Fensterscheiben waren durch die Wucht des Aufpralls zersplittert. Mit Hilfe der Polizei gelangten sie schließlich hinaus, aber draußen auf der Straße merkten sie, dass sie auf Leichenteile traten.

Meine Schwester Asti, die mit ihrem Mann und ihrer Tochter Juliette in der White Street in Tribeca wohnt, war auf dem Weg zur P. S. 234, einer Grundschule nur zwei Straßen nördlich vom World Trade Center. Kurz zuvor hatte sie Juliette dorthin gebracht, hatte aber, nachdem das erste Flugzeug in den Turm gerast war, beschlossen, sie wieder abzuholen. Sie erinnert sich, dass sie sich fragte, ob diese Vorsicht nicht übertrieben sei. Dann hörte sie die Explosion des zweiten Flugzeugs, als es über ihr einschlug. Sie blickte nach oben, sah drohend über sich das riesige Loch in dem Wolkenkratzer und begann zu rennen. Inzwischen kamen ihr schon nach Norden strömende Menschen entgegen. Sie hörte jemanden sagen: «O Gott, sie springen.» Eine Frau neben ihr erbrach sich.

Mein Freund Larry, der beim *Wall Street Journal* arbeitet, dessen Büros direkt gegenüber vom WTC waren, schaffte es aus dem Gebäude und rannte, bis er nicht mehr konnte. Er blieb stehen, um zu verschnaufen, drehte sich um und sah brennende Menschen aus den Fenstern springen. Er brauchte Stunden, um über die Brooklyn Bridge bis nach Hause zu gelangen. Als seine vor Sorge halbtote Frau Mary die Tür öffnete, stand ein von Kopf bis Fuß mit feinem weißem Puder bedeckter Geist vor ihr. Nachdem Mary ihn fest in die Arme genommen hatte, bemerkte sie, dass ihre Arme von den winzigen Splittern von pulverisiertem Glas bluteten, die Teil dieses weißlichen Staubs waren.

2

Man glaubt nicht immer, was man sieht. Traumatische Erlebnisse sind oft von einer Art Dissoziation begleitet. Das, was sich vor den eigenen Augen abspielt, erscheint unwirklich. Obwohl ich die Schäden, die das erste Flugzeug anrichtete, vom Fenster meines Hauses in Brooklyn erkennen konnte, sah ich im Fernsehen, wie das zweite Flugzeug in den zweiten Turm raste. Die beiden Bilder in meinem Kopf sind seltsam verschieden. Das erste hat eine Kraft, die dem zweiten fehlt. Es hat mit dem Maßstab und mit unmittelbarer Wahrnehmung zu tun. Der aus dem vertrauten Wolkenkratzer aufsteigende

Rauch, den ich von meinem Fenster aus sah, erschütterte mich. Das Bild auf dem 53 cm großen Fernsehschirm hatte etwas Verfremdetes, beinahe Surreales an sich, sodass ich mir beim Zuschauen sagen musste: Das geschieht wirklich. Asti hingegen, die den zweiten Aufprall aus nächster Nähe miterlebte, die die furchtbare Zerstörung nur wenige Straßen entfernt hörte und sah, blieb ruhig. Erst als sie Juliette an jenem Abend ins Bett gebracht hatte und im Fernsehen das Flugzeug sich in das Gebäude bohren sah, fing sie an zu weinen.

Nicht nur weil fast die ganze Welt das Geschehen im Fernsehen sah, ist die Frage der unmittelbaren und der medial vermittelten Bilder für 9/11 und seine Nachwirkungen wichtig, sondern weil die Terroristen wussten, dass sie ein spektakuläres Medienereignis inszenierten. Sie wussten, dass in der Zeit zwischen dem Aufprall des ersten und des zweiten Flugzeugs Fernsehteams vor Ort sein würden, um das grauenerregende Bild einer in den zweiten Turm hineinrasenden Passagiermaschine aufzunehmen, und dass die Aufzeichnung ständig wiederholt werden würde, damit die ganze Welt es sah; und sie wussten auch, dass es genauso aussehen würde wie ein kostspieliger Hollywood-Katastrophenfilm. Ein bis zum Erbrechen abgedroschenes, von den Major Studios wieder und wieder verfilmtes Szenario war von den Terroristen in eine groteske Realität manipuliert worden. Andererseits muss gesagt werden, dass auf Seiten der Drehbuchschreiber sehr wenig Phantasie dazugehört, tatsächliche Terroranschläge so zu vergrößern, dass sie ihren Kriterien für ein aufregendes Spektakel entsprechen. Der 11. September war nicht unvorstellbar. Wir alle konnten ihn uns vorstellen. Dass er tatsächlich stattfand, zog der Phantasie den Boden unter den Füßen weg.

Am 12. September war ich um die Zeit, in der normalerweise Rush-Hour herrscht, mit der U-Bahn unterwegs, um meine vierzehnjährige Tochter Sophie abzuholen, die seit dem Vortag auf der Upper West Side in der Nähe ihrer Schule festsaß. Außer mir waren nur wenige Leute in dem Wagen – fünf oder sechs andere, schweigende, benommene Passagiere, die entschieden hatten, dass die Fahrt unumgänglich sei. Weil die normale Strecke nicht befahrbar war, musste ich umsteigen. Dabei fiel mir an der Wand der Station ein großes Plakat für einen Arnold-Schwarzenegger-Film auf: ein überlebensgroßes Bild des Schauspielers, dazu ein Text, der besagte, es gehe um einen Feuerwehrmann, der Frau und Kind bei einem terroristischen Anschlag verloren hat und nun rotsieht. Mir wurde ganz schlecht.

Nicht nur ich empfand so. Hollywood reagierte auf die verheerende Zerstörung in New York sofort mit Rückrufen. Die *New York Times* gab dramatische Erklärungen von Studiobossen wieder, alles habe sich verändert. Eine neue Ära sei angebrochen. Nichts sei mehr so, wie es einmal war. Eine Schriftstellerin und Drehbuchautorin beteuerte im Fernsehen, sie werde nie wieder solche Geschichten schreiben. Aufrichtigkeit war wieder angesagt. Mehrere Zeitschriften erklärten die Ironie für tot. Ein bissiger, oftmals zynischer Filmkritiker des *New Yorker* beendete seine Kolumne mit einem tiefempfundenen Bekenntnis zur Liebe. Er schien es ehrlich zu meinen. Mein Schwager, ein Bildhauer, erzählte von einem Gespräch mit Künstlerkollegen, die nun ihre Arbeit neu überdenken wollten. Eine kurze Zeit lang ersetzten in der Boulevardpresse und auf Illustrierten die Fotos von Feuerwehrmännern und Polizisten die Bilder von Berühmtheiten. Die TV-Nachrichtensender unterbrachen ihre Berichterstattung nicht mit Werbespots, als wüssten sie, dass der Wechsel zwischen Bildmaterial von der Unglücksstelle, wo Bergungstrupps nach Leichenteilen gruben, und der Werbung für ein Spülmittel oder ein Medikament gegen Allergien unannehmbar wäre. Inzwischen ist dieses Gerede von einem kulturellen Gezeitenwechsel jedoch weitgehend vorbei. *Collateral Damage*, der Schwarzenegger-Film, wurde zurückgezogen, kam dann aber doch in die Kinos und ist eine Weile gelaufen. Die Filmmogule distanzierten sich von ihren eigenen Äußerungen und behaupteten, sie hätten unter Schock gestanden und nicht gewusst, was sie sagten. Im Fernsehen laufen schon seit langem wieder Werbespots, und Nachrichtenbilder von Leichen auf Feldern oder in Städten anderer Länder werden unterbrochen von Aufforderungen, zum nächsten Fordhändler zu eilen und so mehrere hundert Dollar bei der Anschaffung eines neuen Luxusgeländewagens zu sparen. Was die Ironie angeht – das Wort war vor dem 11. September in der Presse schon so oft missbraucht worden, war überall als der Ton unserer Zeit breitgetreten worden, so als bedeute es nichts anderes als kühle, zynische Distanziertheit. Ironie hat immer einen doppelten Boden. Wenn man die Verlautbarungen der Medien unmittelbar nach dem 11. September, in denen eine neue ernsthafte Welt angekündigt wurde, neben die Rückkehr zum *business as usual* nur wenige Monate danach stellt, ließe sich eben damit beweisen, dass ein ironischer Standpunkt manchmal die einzig angebrachte Art ist, die Realität, in der wir leben, zu deuten.

3

Man sieht jetzt nicht mehr so viele Sternenbanner in der Stadt. Einige hängen noch an Häusern oder flattern an den Antennen von Privatautos und Taxen, aber sie sind nicht mehr allgegenwärtig. Hier in New York verstanden wir diese Flaggen, aber viele Europäer, mit denen ich in den vergangenen Monaten sprach, verwechselten sie mit amerikanischem Chauvinismus. Das waren sie aber nicht. Sie waren das, was wir hatten – ein Zeichen der Solidarität –, und sie tauchten an jenem Tag im September spontan auf. Wer hätte gedacht, dass so viele Leute alte Flaggen in ihren Schränke aufbewahren? An dem Freitag nach dem Anschlag strömten aus meinem Viertel zwanzigtausend Menschen mit Kerzen auf die Seventh Avenue, um die toten Feuerwehrmänner unserer Park Slope-Feuerwache zu ehren. Viele von ihnen trugen Sternenbanner oder hatten sich rot, weiß und blau angezogen. In unserem Viertel leben viele alte Hippies. Bei Wahlen wählen 98 Prozent von uns die Demokraten. Viele von uns, mein Mann und ich eingeschlossen, haben gegen den Vietnamkrieg demonstriert. An jenem Abend stimmte irgendjemand «We Shall Overcome» an, das alte Protestlied der Bürgerrechtsbewegung, die in die Bewegung gegen den Krieg überging. Das Letzte, was jeder Einzelne in der Menge wollte, war noch mehr Blutvergießen. Die USA führen immer noch Krieg, und wenn die New Yorker Hurrapatrioten wären, könnte man noch überall Sternenbanner sehen – und ihre Bedeutung hätte sich verändert.

4

«Nach dem 11. September waren alle so *nett* zueinander, erinnerst du dich?», sagte vor einigen Monaten in der U-Bahn eine Frau zu einer anderen. Sie hatte eine laute Stimme, einen starken russischen Akzent, und während sie sich mit der einen Hand an der Stange festhielt, gestikulierte sie lebhaft mit der anderen. Ihre Begleiterin sprach leise, und ich konnte aus ihrer Antwort den Singsang der Antillen, vielleicht Trinidad oder Santa Lucia, heraushören. «Ja, es ist alles wieder wie gehabt», stimmte sie zu. Das ist wahr. In der Krise waren wir wunderbar, waren wir liebevoll zueinander. Freiwillige strömten zur Unglücksstelle. Nach wenigen Tagen waren es so viele, dass sie zu Hunderten wieder weggeschickt werden mussten. Unser hiesiger Buchladen wurde zum Spendenzentrum, und es trafen solche Mengen von Müllsäcken, Taschenlampen, Stiefeln, Strümpfen und Handschuhen ein, dass die Buchhändlerin ein höfliches, aber eindeutiges Schild anbrachte, auf dem stand, sie könne keine weiteren Spenden annehmen. Hier in Brooklyn organisierten die einzelnen Straßen Kuchen-, Trödel- und Bücherverkäufe, um Geld für die Familien der Toten zu sammeln. Wildfremde sprachen sich auf der Straße, in Geschäften und in der U-Bahn an. Dieses Bedürfnis zu fragen, zu erzählen ist jetzt vorbei. Die Menschen sind wieder dazu übergegangen, ihr privates Leben zu führen.

Die unter uns, die keinen Partner, keinen Elternteil oder sonst jemand Nahestehenden verloren haben, sind von tätiger Trauer zu einer für das Weiterleben notwendigen Verdrängung der Gefühle übergegangen, eine Haltung, die nur möglich ist, weil die Stadt nicht noch einmal angegriffen wurde, und anders als in einigen Teilen der Welt sind wir nicht besetzt und werden nicht belagert. Die spontanen Gedenkstätten mit Kerzen und Teddybären, Gedichten und Briefen sind verschwunden. Seit längerer Zeit hat niemand mir gegenüber von Gasmasken, Cipro, Rettungsleitern oder Kajaks gesprochen. Es hatte in New York nämlich einen Run verängstigter Bewohner auf Kajaks gegeben, die vorhatten, beim nächsten Angriff die schlanken Boote zu Wasser zu lassen und damit den Hudson hinauf- oder nach New Jersey hinüberzupaddeln. Die Feuer an der Unglücksstelle sind endlich aus, und die Stadt zählt nicht mehr wieder und wieder ihre Toten.

Die P. S. 234 war vier Monate lang geschlossen. Im Januar gingen die Kinder wieder zur Schule, und Juliette war froh darüber. Eine ihrer Klassenkameradinnen, ein Mädchen, das sich nach dem Angriff wochenlang an seine Mutter geklammert hatte – auf der Toilette, in der Badewanne oder schlafend im Bett –, ist wieder eine frei bewegliche Zweitklässlerin. Der dreijährige Junge, der sich weigerte zu laufen, weil seine Füße vor Angst, «auf brennende Stücke zu treten», nicht den Boden berühren durften, wie er seinen Eltern sagte, braucht nicht mehr herumgetragen zu werden. Die Straßensperren der Polizei unterhalb der Canal Street sind abgeräumt, und jetzt stehen Hunderte von Besuchern Schlange, um Eintrittskarten zur Besichtigung der Unglücksstelle zu kaufen. Das in der Erde klaffende Loch ist die meistbesuchte Touristenattraktion von New York geworden. Ich weiß nur von einer Familie in meinem Viertel, die nach dem Anschlag ihr Haus verkauft hat und aus der Stadt gezogen ist. Connecticut ist ein unwahrscheinliches Ziel für einen Anschlag. Monatelang machten sich alle Sorgen wegen der Luft downtown. Niemand konnte sagen, was darin war. Wenn ich im Taxi über die Brooklyn Bridge fahre, stelle ich mir noch manchmal eine plötzliche Explosion vor, Stahl und Beton, die unter dem Auto wegbrechen, meinen eigenen traurigen plötzlichen Tod im East River. Aber wie so viele New Yorker bin ich Fatalistin oder, wie meine Mutter zu sagen pflegte: «philosophisch».

Die Wahrheit ist, dass ich aus New York nicht weggehen kann, weil ich verrückt danach bin, weil ich hoffnungslos verliebt bin in diesen Ort, so wie man normalerweise in einen Menschen verliebt ist. Und auch darin stehe ich nicht allein. Es ist eine große, schlimme, wunderbare Stadt – laut, rau und gemein, aber auch lieb und nett. Ich wohne jetzt seit vierundzwanzig Jahren hier, und meine Liebesgeschichte ist noch nicht zu Ende. Manche Teile dieser Stadt sind so hässlich, dass ich sie hinreißend finde. Ich hatte immer etwas für Abfall, für Graffiti und Schmierereien, für laute, rüttelnde Züge übrig, und es scheint, dass ich trotz meiner Antipathie verdrießliche Müllmänner, stumme Taxifahrer und überfreundliche Bedienungen doch ganz gern mag. Eine Zeit lang herrschte in New York eine Stille, eine unheimliche Ruhe wie bei Trauerriten. Am Ground Zero ist sie noch spürbar, aber weiter weg haben die Leute schon seit Monaten ihren alltäglichen Kleinkrieg wieder aufgenommen. Sie schimpfen mit Parkpolitessen, Lkw-Fahrer brüllen Fußgängern, die falsch über die Straße gehen, Obszönitäten hinterher, und in der U-Bahn wird gedrängelt. Aber so wie vorher eilen Leute herbei, um zu helfen, wenn jemand auf dem Bürgersteig hingefallen ist. Sie verteilen Münzgeld an Penner, Schwindler, Musikanten, Gruppen von Jugendlichen, die in der U-Bahn mehrstimmig singen. Und New Yorker beiderlei Geschlechts und aller Klassen rufen einem Komplimente oder Ermutigungen zu: «'n schöner Hut, Süße», «Der Mantel ist toll» oder «Hallo, schlanke Frau, schenk uns ein Lächeln».

5

An einem Tag im März sah mein Mann sich im Fernsehen *42nd Street* an, das Filmmusical aus dem Jahr 1933. Gegen Ende tritt Ruby Keeler in einer Bluse und knappen Shorts auf. Sie schwingt die Arme, und ihre Füßen fangen wie verrückt an zu steppen, zu schlurfen, zu schlittern und auf der Bühne herumzuhüpfen, was das Zeug hält. Paul saß auf dem Sofa, sah der zugleich robusten und femininen Tänzerin zu und spürte auf einmal Tränen in die Augen steigen. Er gab sich einem Moment hemmungsloser Gefühlsduselei hin. «Für das alte New York», sagte er mir, «nicht das vom 10. September, sondern das, wie es mal war.» Paul wurde 1947 geboren. 1933 gab es ihn noch nicht, aber es ist nun einmal so, dass New York ebenso sehr ein Mythos wie ein Ort ist, und weil wir alle Teil dieser Fiktion sind, sorgen wir dafür, dass sie zuweilen real wird. Nach dem 11. September erfüllt uns das mythische New York des gerade zu Ende gegangenen Jahrhunderts – die witzelnde, wilde Welt der Gangster und Puppen, der Zigarettenverkäuferinnen in ihren absurden Kostümen, des *Cotton Club*, des Hot Jazz, der Hipster und Beats, der völlig verqualmten Kellerclubs oder der in der *Cedar Bar* in Prügeleien verwickelten Abstrakten Expressionisten – mehr denn je mit Wehmut.

Die Bewohner der Stadt haben immer gewusst, dass das übrige Land uns nicht sehr mag, dass New York im Mittelwesten Furcht, Wut und Ärger erregt. Ich weiß es. Ich bin dort aufgewachsen. Jetzt hatten wir unsere Chance. Ein paar Monate lang waren wir in anderen Teilen der USA überaus beliebt, aber kein Mensch, mit dem ich hier in der Stadt sprach, glaubte, es würde anhalten, und so war es dann auch. Da wir außerhalb nicht so sehr geliebt werden, lieben wir uns selbst umso heftiger und feiern wieder und wieder unsere eigenen Mythen – die Gedichte, Bücher, Theaterstücke, Filme und all die Songs über unsere Großartigkeit –, und die der Stadt zugefügte schreckliche Wunde hat viele von uns noch inbrünstiger gemacht.

6

Das wirkliche und das imaginäre New York sind nicht leicht voneinander zu trennen. Der Stoff einer Stadt ist nicht nur materiell, er ist auch spirituell. Es stimmt zwar, dass vierzig Prozent von uns woanders geboren sind. Vor ein paar Jahren las ich in der Zeitung, dass die Kinder in einer einzigen Grundschule in Queens vierundsechzig verschiedene Sprachen sprechen. In der U-Bahn sehe ich Leute Zeitungen in Spanisch, Russisch, Polnisch, Chinesisch, Arabisch und anderen mir unbekannten Sprachen lesen. Die New Yorker sind durch keine gemeinsame Sprache oder einen gleichartigen Hintergrund miteinander verbunden. Wir sind jeder von irgendwoher, und meistens gehen wir recht tolerant miteinander um. Die Menschen dieser Stadt wissen, dass sie darin einzigartig sind. An keinem anderen Ort der Welt gibt es eine solche Vielfalt. Auch hier gibt es hässliche und brutale Taten und Gebiete mit beschränktem, grausamem Rassismus, aber wer das hektische Gedränge unzähliger Kulturen, Sprachen und Lebensformen nicht mag, würde hier nicht leben wollen. Die Terroristen haben nichts verstanden. Als sie New York verletzten, verletzten sie die ganze Welt.

In diesen Tagen sprechen wir New Yorker über den 11. September 2002, und wie wir ihn durchstehen werden. Nicht nur befürchten die Menschen einen neuen Anschlag auf die Stadt, sondern dass das Datum selbst an ein Trauma rührt, welches trotz unserer Bemühungen, normal zu leben, noch wund und unverdaut ist. Meine Schwester Asti sagte mir, sie fürchte sich so sehr vor dem heranrückenden Jahrestag, dass sie lieber nicht darüber nachdenke. Eine befreundete Journalistin, die für National Public Radio von einigen der gefährlichsten Kriegsschauplätzen der Welt berichtet hat, moderiert an dem Tag eine Live-Sendung. Sie sagt, sie habe zum ersten Mal Angst, während der Sendung zusammenzubrechen und zu weinen. Wie das Denkmal aussehen und was an der Stelle gebaut werden soll, sind heftig umstrittene Fragen. Immer mehr Menschen wollen die Türme wiederhaben. Ich verstehe, was sie fühlen. Seit einem Jahr tut es mir weh, wenn ich die Skyline sehe. Wir alle waren an diese beiden ungeheuer hohen und ehrlich gesagt ziemlich hässlichen über uns aufragenden Säulen gewöhnt. Aber die Toten können nicht wieder lebendig gemacht werden, und selbst wenn die Stadt genaue Nachbildungen der zwei eingestürzten Wolkenkratzer bauen ließe, wären diese doch nie mehr als die Gespensterzwillinge einer Stadt, die wir nie zurückholen können. Es ist besser, sich mit ihrem Fehlen als unserer schmerzlichen kollektiven Narbe auseinanderzusetzen und das zu schützen und zu feiern, was sich an New York, der Stadt der Einwanderer, des Pluralismus und der Toleranz, nicht verändert hat.

Niemand, der damals hier war, wird diesen Tag des Massenmords je vergessen, und beim Herannahen des ersten Jahrestags wird mir klar, dass in den meisten von uns die schlimme Erinnerung bei der kleinsten Andeutung wieder aufsteigt, und für jeden von uns ist die Erinnerung anders. Einige sahen Arme und Beine vom Himmel fallen. Einige warteten auf einen Anruf, der nie kam. Einige rannten um ihr Leben. Einige standen vor Ungläubigkeit erstarrt auf der Straße. Einige liefen in Brooklyn mit Mundschutz herum, als der Trümmerstaub über den Stadtteil geweht wurde. Einige in der Bronx und in Queens sahen nur, wie der blaue Himmel vor Rauch schwarz wurde.

In den USA wie in der ganzen Welt ist 9/11 zu einem Euphemismus der Medien geworden, über den in politischen Diskussionen mit einer erschreckenden Leichtigkeit und Ungezwungenheit palavert wird. Mir scheint, dass wie andere Verbrechen, die im Namen von unterschiedlichen Ideologien und Religionen gegen Menschen begangen wurden, der Anschlag auf das World Trade Center nur von Einzelnen verstanden werden kann, und wenn wir das Einzelschicksal aus den Augen verlieren – das Leid oder den Verlust eines Mannes oder einer Frau oder eines Kindes –, laufen wir Gefahr, unser gemeinsames Menschsein aus den Augen zu verlieren, und das ist eine Form von Blindheit – nicht nur andern, sondern uns selbst gegenüber.

2002

Damen in Boston: Persönliche und unpersönliche Wörter

«Nicht, dass ich irgendetwas Seltsames oder Neues zu erzählen hätte», schrieb der achtundzwanzigjährige Henry James im Jahr 1872 an Charles Eliot Norton. «Wenn man sich daranmacht, das Leben in Cambridge *plume en main* darzustellen, scheint das Seltsame daran seine Öde zu sein.» 1913, zwei Wochen vor seinem siebzigsten Geburtstag, benutzt James dasselbe Wort, diesmal als Adjektiv, um die Stadt zu beschreiben, in der seine Familie sich in Massachusetts niedergelassen hatte. Inzwischen hatte er seit vielen Jahren in England gelebt, und in einem Brief an seine Schwägerin Alice erklärte er einen Besuch in Amerika für unmöglich. Er könne den Sommer nicht «im durch und durch öden und geistlosen Cambridge» verbringen. Diese Wiederholung interessiert mich, weil Henry James zwölf Jahre nach dem ersten Brief und neunundzwanzig Jahre vor dem zweiten trotz des Bildes der Austrocknung eben diesem *öden* Teil der Welt einen ganzen Roman gewidmet und ihn *The Bostonians* genannt hat.

Obwohl Henry James jun. in New York geboren wurde und einen guten Teil seiner Kindheit *en route* von einer europäischen Stadt zur anderen verbrachte, dieweil er, seine Geschwister und ihre Mutter dem rastlosen kontinentalen Herumzigeunern von Henry James sen. folgten, sollten Boston und Cambridge zutiefst vertraute Orte für den Romancier werden. Im Studienjahr 1862–63 belegte er in Harvard Jura, ehe er es für ein Leben als Schriftsteller aufgab. Seine Familie zog 1864 nach Boston und ließ sich kurz darauf endgültig in Cambridge in der Quincy Street 20 nieder. Aber schon lange vor der Umsiedlung der Familie war der Kopf von Vater Henry mit den Ideen aus Neuengland angefüllt gewesen. Seine Kinder wuchsen in einer Atmosphäre von Idealismus, Reformen und neuem Denken heran. Henry David Thoreau, Ralph Waldo Emerson und andere Transzendentalisten, einschließlich Margaret Fuller, William Ellery Channing und Bronson Alcott, waren Freunde der Familie. Henry senior war auch ein glühender Verfechter einer sofortigen Freilassung der Sklaven, und er schickte seine zwei jüngsten Söhne, Garth Wilkinson und Robertson, an die Concord Academy, an der Thoreau gelehrt hatte und an der drei von Emersons Kindern sowie Nathaniel Hawthornes Sohn Julian eingeschrieben waren. Geleitet von dem Abolitionisten Franklin Sanborn, einem Finanzier und aktiven Verschwörer bei John Browns Aufstand in Harpers Ferry, war die Schule mehr als ein Experiment in Koedukation; sie war ein Ort fanatischer Ideologie. Beide, Wilkie und Bob, gingen von der Schule ab, um für die Sache der Union zu kämpfen. Wilkie meldete sich mit siebzehn freiwillig und wurde bald darauf dem ersten Regiment schwarzer Soldaten als Adjutant von Colonel Robert Gould Shaw zugeteilt. Am 28. Mai 1863 marschierte das 54. Regiment, von schmetternden Fanfaren geleitet, aus Boston hinaus. Ende Juli desselben Jahres waren fast die Hälfte seiner Soldaten und die meisten seiner Offiziere beim Sturm auf Fort Wagner in Charleston Bay gefallen. Wilkie James wurde schwer verwundet, aber er überlebte. Nach dem Krieg erwarben er und Robertson, von ihrem Vater unterstützt, eine Plantage in Florida, die schwarze Arbeiter beschäftigte. Das gewagte Unternehmen scheiterte, aber ihre Tat bleibt ein Zeugnis nicht nur für den Idealismus der beiden Brüder, sondern für die Hoffnungen jener Welt, die eine entscheidende Rolle in ihrer Entwicklung gespielt hatte – das begeisterte, idealistisch gesinnte New England.

Noch andere Ideen wehten durch den Haushalt der Familie James – importierte. Als Schüler von Emanuel Swedenborg, dem zum Mystiker gewordenen schwedischen Naturwissenschaftler, und von François-Marie Charles Fourier, dem französischen Sozialphilosophen, vereinte Henry senior eine ansteckende Kombination von spiritueller Erleuchtung (Swedenborg glaubte, er habe einen Schlüssel zu einer Engelslesart der Heiligen Schrift gefunden) und der utopischen Vision einer neuen Gesellschaft, in der von Unterdrückung und Hemmungen befreite Menschen ihr wahres leidenschaftliches Selbst ausleben und in Gemeinschaften – so genannten Phalanxen – ein friedliches, harmonisches Leben führen konnten.

Wie in jedem Zeitalter vermischten sich damals strenge intellektuelle Ideen mit zweifelhafteren Gedanken. Sowohl in Europa wie in den Vereinigten Staaten war der Mesmerismus der letzte Schrei in der vornehmen Gesellschaft wie in Intellektuellenkreisen. Überall wurden Séancen abgehalten. Der ältere Bruder des Romanciers, der große amerikanische Philosoph und Psychologe William James, glaubte sein Leben lang an Spiritualismus und hoffte, seine Forschungen jenseits des Grabes fortsetzen zu können. Er bat seine Frau, nach seinem Tod Kontakt zu ihm aufzunehmen. Sie tat es, aber vergebens. Bei einer anderen Gelegenheit jedoch, ohne dass die Witwe anwesend war, wurde berichtet, William habe von der anderen Seite gesprochen. Als Henry von der Phantomstimme erfuhr, nannte er es «den erbärmlichsten und unverschämtesten, unwahrsten und niederträchtigsten Blödsinn». Damals wie heute war bei den Fortschrittlichen der Vegetarismus *en vogue*, aber die Aufgeklärten fielen auch auf andere absonderliche Gesundheitsmoden herein. Etliche Transzendentalisten wurden eifrige Anhänger des Fletcherismus, einer Essmethode, die darin bestand, Speisen erst zu einem flüssigen Brei zu zerkauen, ehe man sie hinunterschluckte. Henry James übernahm sie eine Weile und kaute so kräftig, dass William, ein Nichtgläubiger, dem Fletscherismus die Schuld für Henrys zahllose Verdauungsbeschwerden gab.

Wenn Leser von heute diese Lehren und Ideen abseitig finden, bitte ich sie, innezuhalten und einmal nachzudenken. Wir leben in einem Zeitalter religiöser Sekten, durchgeknallter Bürgerwehren und Gurus, die von Kalifornien bis New York über das ganze Land verstreut sind, einem Zeitalter der Esoterik, Darmspüler, Kristallkugelfreaks und Rohkostmaniaks. In den Vereinigten Staaten ist das utopische Suchen nach Reinheit, Perfektion und Vervollkommnung, wie überspannt es auch sein mochte, immer auf fruchtbaren Boden gefallen. Die Frage bleibt jedoch: Warum hat Henry James das lebendige intellektuelle Klima (mit seinen zugegebenermaßen verrückten Rändern) in Boston und Umgebung als «öde» und «geistlos» beschrieben? James empfand die amerikanische Kultur einfach als zu jung und zu dürftig, um ihn als Künstler zu tragen. Er war ständig im Bann der Verlockungen Europas, seiner alten und sichtbaren Geschichte, seiner Architektur, Malerei, seiner Ruinen und, natürlich, seiner Literatur.

Für James war Nathaniel Hawthorne der herausragende amerikanische Schriftsteller. In seiner Jugend las und liebte er Hawthornes Bücher, und obwohl der junge Autor seinem literarischen Mentor nie begegnete, sollte sich die geistige Verbindung zwischen beiden nie lösen. Hawthorne, ein unvergleichlicher Erzähler, der in seinen Romanen den amerikanischen Puritanismus ebenso kritisierte wie den Utopismus, wurde für James *der* literarische Vorläufer. Als der junge Henry James am 19. Mai 1864 wach wurde und erfuhr, dass der große amerikanische Romancier gestorben war, setzte er sich im Bett auf und weinte. Dennoch war er, wie die meisten literarischen Söhne, dem Vater gegenüber kritisch, und wenn er über Hawthorne schreibt, drückt er seine zwiespältigen Gefühle über die amerikanische Belletristik aus:

> Doch unser Autor muss die unangenehme Seite seines Ruhms ebenso akzeptieren wie die erfreuliche; er hat ja den Vorteil, auf eine geschätzte Moral hinzuweisen. Diese Moral besagt, dass die Blume der Kultur nur auf tiefem Boden blüht, dass eine Menge Geschichte nötig ist, um ein bisschen Literatur hervorzubringen, und es eines komplexen gesellschaftlichen Mechanismus bedarf, um einen Schriftsteller in Gang zu setzen. Die amerikanische Zivilisation hatte bislang anderes zu tun, als Blumen hervorzubringen, und ehe sie Schriftsteller gebar, war sie vollständig damit beschäftigt, etwas zu liefern, worüber diese schreiben konnten. Drei oder vier vortreffliche Talente mit transatlantischer Entwicklung sind alles, was die Welt gewöhnlich anerkennt, und in diesem bescheidenen Sträußchen gilt Hawthornes Genie als der rarste und süßeste Duft.

Wie flach James den Boden der amerikanischen Literatur auch finden mochte, er erkannte an, dass Hawthorne ihm entsprossen war, und *Damen in Boston* ist dem Werk des älteren Schriftstellers verpflichtet, ganz besonders dessen Roman *Das Blithedale-Abenteuer*, der angeregt war von Hawthornes kurzem, unbefriedigendem Aufenthalt in der Brook Farm, Margaret Fullers transzendentalistisch-fourieristischem Experiment eines Gemeinschaftslebens. In seinem Essay «Brook Farm and Concord» zitiert James den Skeptiker Coverdale in Hawthornes utopischem Abenteuerroman: «Ein kluger Mann wird seine Klugheit nicht lange bewahren, wenn er ausschließlich unter Reformern und Fortschrittlichen lebt, ohne regelmäßig zum festgelegten System der Dinge zurückzukehren, um sich durch eine neue Beobachtung vom alten Standpunkt aus zu korrigieren.» Das ist ein Satz, der unmittelbar *Damen in Boston* anspricht, keine bestimmte Figur, sondern die Wirkung der Erzählung insgesamt, die ihre Wahrheiten durch das ständige Hin und Her von Leuten und Ideen enthüllt, die sich unnachgiebig gegenüberstehen.

In dem Roman werden zwei Ideologien und zwei Menschen gegeneinander ausgespielt. Auf einen einfachen Nenner gebracht, bietet das Buch einen Konflikt zwischen einer Reformerin und einem Reaktionär auf, zwischen einem siegreichen Norden und einem geschlagenen Süden, zwischen einer Frau und einem Mann. *Damen in Boston* ist ein Thesenroman, aber es sind nicht die Thesen von James' beiden sich bekämpfenden Figuren, die auch entfernte Cousins sind – Olive Chancellor, eine unverheiratete Bostonerin und Frauenrechtlerin, und Basil Ransom, ein eingefleischter Erzkonservativer aus Mississippi –, die das Buch untersucht. Tatsächlich kann man beiden

Figuren vorwerfen, sentimentalen oder klischeehaften Unsinn im Mund zu führen, und ich glaube nicht, dass ihr Schöpfer übermäßig an ihren Überzeugungen als solchen interessiert war. Er war von etwas unendlich viel Komplexerem als einem Konflikt zwischen zwei verhärteten ideologischen Positionen gebannt. Wie alle Romane von James ist *Damen in Boston* eine Erforschung dessen, was *zwischen* und *unter* Menschen geschieht und wie diese Interaktion ein Eigenleben annehmen und das Schicksal der Beteiligten bestimmen kann.

Miss Chancellor und Mr Ransom werden grimmige Rivalen in einer Dreiecksgeschichte. Beide wollen Verena Tarrant besitzen, das hübsche, schwache und überaus reizende Produkt eines Quacksalbers aus Cambridge und der Tochter eines Abolitionisten. Die unschuldige Verena, die eine «Gabe» für die inspirierte freie Rede hat, ist vollkommen ein Kind der *neuen Ideen.* «Sie hatte auf dem Schoß von Geistersehern gesessen und war von einem Trance-Orakel zum anderen weitergereicht worden; sie wusste über ‹Wunderkuren› jeglicher Art Bescheid und war zwischen weiblichen Zeitungsredakteuren aufgewachsen, die sich für neue Religionen einsetzten, und neben Leuten, die den Bund der Ehe ablehnten.» Mit diesem Tauziehen um einen Menschen, Verena, die auch das Geschöpf einer bestimmten neuenglischen Subkultur ist, erforscht James die psychologischen Auswirkungen von Glauben: wie eine von Ideen aufgeladene Atmosphäre auf einen Menschen, der einer Leidenschaft verfallen ist, übergreifen, ihn beeinflussen, in ihn übergehen und bewusst und unbewusst von ihm benutzt werden kann.

Die intellektuelle Kraft des Buches steckt daher nicht in dem, was die Figuren über ihren Glauben *sagen,* in ihren dogmatischen Positionen, sondern eher in einer dialektischen Spannung zwischen dem «Persönlichen» und dem «Unpersönlichen», dem «Privaten» und dem «Öffentlichen», dem «Besonderen» und dem «Allgemeinen». Diese Wörter kommen in ihren verschiedenen Formen so häufig in dem Roman vor, dass sie ein augenfälliger, pointierter Refrain werden. Was sie *bedeuten*, ist allerdings ein anderes, viel komplizierteres Problem. Der Erzähler springt in *Damen in Boston* vom Standpunkt einer Person zu dem einer anderen und verschafft uns damit Zugang zu den Gedanken aller seiner Hauptfiguren und zu deren jeweiligen individuellen Verwendung dieser Wörter, wodurch ihre Bedeutung noch komplizierter wird. Als Basil seine Cousine Olive zum ersten Mal besucht, fällt ihm der bürgerliche Luxus ihres Hauses auf, und er hat den Eindruck, «sich noch nie einer so umfassend durchgestalteten Privatsphäre gegenüber erlebt» zu haben. Dies ist genau die Sphäre, in die er Verena zu versetzen hofft. Er glaubt inständig daran, dass sie «für das Privatleben, für die Liebe, für ihn bestimmt ist». Andererseits sagt uns der Erzähler, dass Mrs Farrinder, die imposante Sprecherin für die Emanzipation der Frauen, «etwas Öffentliches in den Augen hatte, die groß, kalt und ruhig waren» ... Die verworrene, abgekämpfte Miss Birdseye, das Relikt einer früheren abolitionistischen Epoche, ist jemand Allgemeines, eine Person, die, obwohl das Gerücht ging, sie habe in ihrer Jugend einen ungarischen Liebhaber gehabt, niemals «eine derart persönliche Empfindung hätte hegen können», wie uns der Erzähler berichtet. «Sie war auch in jenen Tagen nur in die eine oder andere gute Sache verliebt.» Dr. Prance dagegen, eine hingebungsvolle Ärztin und der lebende Beweis für weibliche Kompetenz in einem gewöhnlich

Männern vorbehaltenen Beruf, braucht keine gute Sache: «Sie sah sich mit einer gewissen kurzsichtigen Geringschätzung um und schien zu hoffen, man erwarte nicht von ihr, dass sie sich in irgendeiner Weise der Allgemeinheit anschließe» ... Auch Mrs Burrage, eine Matrone aus der guten Gesellschaft, die sich nur am Rande für eine Sache einsetzt, ist eine Frau, deren «Gunstbezeigungen» «allgemein, nicht besonders» sind. Selah Tarrant betont, dass die Erfolge seiner Tochter als Rednerin «gänzlich unpersönlich» seien, und Verena selbst besteht ihren Zuhörern gegenüber darauf: «Das bin nicht *ich* ...» In scharfem Kontrast dazu denkt Ransom, während er Verenas Darbietung beobachtet, dass er gerade Zeuge einer «zutiefst persönlichen Zurschaustellung» wird. Und während Olive Chancellor hofft und glaubt, nie wie ihre frivole Schwester Mrs Luna zu werden, die «so persönlich, so eng» ist, findet Basil Ransom, dass Olive «auf intensive, erschreckende Weise eine Person» ist. Verena entdeckt ebenfalls, «wie seltsam ihre Freundin», Olive, «beschaffen ist, wie nervös und ernst, wie persönlich, wie exklusiv» ... Diese Wörter fallen je nach der Wahrnehmung, den blinden Flecken und Gefühlen jeder Figur, und nur durch ihr Zusammenspiel können wir daraus schlau werden, was James meint.

In einem Brief gab James seiner Freundin Grace Norton, die gerade in einer schwierigen Lebensphase war, folgenden Rat: «Nur, beschwöre ich Dich, verallgemeinere diese Sympathien und zärtlichen Empfindungen nicht allzu sehr – bedenke, dass jedes Leben ein spezielles Problem ist, das nicht Deines ist, sondern das eines anderen, und begnüge Dich mit der schrecklichen Algebra Deines eigenen. Verschmelze nicht zu sehr mit dem Universum, sondern sei so stabil und dicht und fest, wie Du kannst.» Andererseits, wenn Hugh Walpole, ein Romancier und Freund von James, «Den Meister» in seinem Tagebuch zitiert, scheint die geäußerte Meinung eine ganz andere zu sein: «Ich habe in meinem Leben eine große Leidenschaft gehabt – die intellektuelle Leidenschaft ... Mach es Dir zur Regel, das unpersönliche Interesse gegenüber dem persönlichen zu fördern – aber bedenke auch, dass sie voneinander abhängig sind.» Die beiden Textstellen treiben auf die Spitze, was ich die gerichtete Ambiguität von James' Sprache nennen möchte. Grace bat er, nicht zu «verallgemeinern» oder zu «verschmelzen», sondern in sich selbst lieber das Besondere, Persönliche, Festgelegte zu fördern, und Hugh riet er, das Gegenteil zu fördern, nämlich «das unpersönliche Interesse», mit dem wichtigen Vorbehalt zu bedenken, dass Unpersönliches und Persönliches immer zusammenhängen.

Der scheinbare Widerspruch gibt Aufschluss über James' Semantik. In beiden Fällen spricht er zu einem bestimmten Freund, und sein kluger Rat drückt seine Auffassung von den psychologischen Bedürfnissen jedes Einzelnen aus. James hat wohl gespürt, dass Grace' abstrakte Gefühlsergüsse gezügelt werden mussten. Auf der anderen Seite gab er Hugh einen väterlichen literarischen Rat. In James' Welt gibt es nichts Absolutes, keine endgültigen Wahrheiten, keine statischen Realitäten. Die Festigkeit, zu der er Grace Norton drängt, ist nur relativ. Sprache ist eben unpersönlich und persönlich, besonders und allgemein, sowohl in uns wie außerhalb von uns, und James schreibt mit einem tiefgehenden Bewusstsein dieses Sachverhalts. Wörter sind da, wo Öffentliches und Privates sich kreuzen. In *Damen in Boston* kehrt Henry James das Öffentliche und das Private um und um, und die Motoren hinter dieser Umkehrung sind äußerlich und innerlich: eine besondere kulturelle Atmosphäre und sexuelle Leidenschaft.

Was den Schauplatz angeht, so bewegt der Roman sich von der «durchgestalteten Privatsphäre» von Olives Räumen am Anfang zu einem öffentlichen Gebäude ganz am Ende: der Bostoner Music Hall, wo eine Rede von Verena auf dem Programm steht und wo die Geschichte ihr gellendes Crescendo erreicht. Dazwischen sind Szenen, die an privaten, halbprivaten und halböffentlichen Orten stattfinden. Die zweite Szenerie ist Miss Peabodys düstere, graubraune, «nichtssagende» Wohnung, wo Mrs Farrinder zu einer Versammlung der Gleichgesinnten sprechen soll. Die Art, wie dem Leser Miss Birdseye vorgestellt wird (eine Figur, in der ganz Neuengland Elizabeth Peabody wiederzuerkennen glaubte, Sophia Hawthornes Schwester, die Schwägerin des Romanciers), hat etwas Tragikomisches, was die angestrengte Spannung des Romans zwischen dem Allgemeinen und dem Besonderen gut veranschaulicht: «Die lange philanthropische Praxis hatte ihren Zügen kein Gepräge verliehen, sondern ihr Mienenspiel, ihren Ausdruck ausradiert. Die Wogen der Anteilnahme, der Begeisterung hatten auf sie in gleicher Weise eingewirkt, wie die Wogen der Zeit schließlich die Oberfläche alter Marmorbüsten verändern, indem sie allmählich ihre Einzelheiten und Konturen fortwaschen.» Sogar das Gesicht der armen Miss Birdseye ist unpersönlich und unscharf geworden, so leer und unmöbliert wie die Räume, die sie bewohnt – ein Interieur, das der bürgerliche Olive wehtut und «sie zu der Frage bewog, ob das Fehlen hübscher Arrangements ein notwendiges Merkmal der Begeisterung für die Menschheit sei». Miss Birdseye ist die extremste Altruistin in dem Roman und leidet an Selbstverlust.

Die weitaus komplexere Olive Chancellor wünscht mit ihrem ganzen Sein, es der alternden Abolitionistin an Selbstlosigkeit gleichzutun, um den Qualen, der Unnachgiebigkeit und Pein des Eingeengtseins in ihren eigenen Körper zu entkommen. Für Olive ist die Emanzipation der Frauen jedoch viel mehr als eine weitere gute Sache, die unterstützt werden muss; sie ist ein zutiefst persönlicher Widerhall auf ihr eigenes psychologisches und sexuelles Eingesperrtsein. Schon bevor Miss Chancellor Verena erblickt, weiß der Leser, dass sie davon geträumt hat, «ein *sehr* armes Mädchen gut zu kennen». Die Ladenmädchen, denen sie sich nähert, sind jedoch misstrauisch und verwirrt durch ihre Aufmerksamkeiten und unweigerlich mit irgendeinem jungen «Charlie» liiert, ein Hindernis, gegen das Olive mit der Zeit «eine große Abneigung hegt». Olive Chancellor ist offensichtlich verliebt, und ihre Liebe für Verena bringt den Hunger sexuellen Begehrens mit sich, aber es wäre eine völlig falsche Interpretation des Romans anzunehmen, Olive und Verena «täten es» hinter den Kulissen, oder Olive hätte sich selbst ganz und gar eingestanden, dass die Verzweiflung, die sie Verenas wegen empfindet, mit ihrem Wunsch nach körperlicher Liebe zusammenhängt.

Trotz der Tatsache, dass im 19. Jahrhundert, besonders in den Vereinigten Staaten, Homosexualität weitaus repressiver behandelt wurde als heutzutage, gab es gleichwohl eine größere Toleranz und weniger Argwohn gegenüber intimen Freundschaften zwischen Frauen, bei denen es zu körperlichen Gefühlsbezeigungen kam. Das Wort «Schwärmerei» wurde oft benutzt, um etwa die Gefühle von Schulmädchen zu beschreiben, die sich in andere Mädchen verliebten, und der Ausdruck wurde ohne den Beigeschmack von Homosexualität gebraucht. Obwohl die heutige amerikanische Gesellschaft relativ offener gegenüber gleichgeschlechtlichen Beziehungen ist, gibt es ein starkes Bedürfnis, die menschliche Erotik zu kategorisieren, eine Kraft, die sich schon ihrer Natur nach jeder Definition widersetzt und eine Rolle in den meisten Beziehungen zwischen Menschen desselben Geschlechts und beider Geschlechter spielt, ob ausgelebt oder nicht. Anders gesagt, als *Damen in Boston* erschien, waren James' Porträts von Lesbierinnen zweideutiger angelegt, als es heutige sind, und an manchen Stellen spielt James mit den Wechselfällen sexueller Identität, dem undefinierbaren Hin und Her zwischen dem Männlichen und dem Weiblichen. «Freilich hätte sie, wäre sie ein Junge gewesen, irgendeine Beziehung zu einem Mädchen unterhalten, während Doktor Prance das offenbar absolut nicht tat.» Auf dem Höhepunkt seiner Jagd auf Verena Tarrant phantasiert Basil Ransom ein Ende ihres Engagements für die Sache: «… aber in der Nähe eines Mannes, an dem ihr wirklich läge, würde dieser unechte, dürftige Bau zu ihren Füßen zusammenklappen, und die Emanzipation von Olive Chancellors Geschlecht (was denn für ein Geschlecht, großer Gott?, pflegte er sich lästerlich zu fragen) würde ins Reich der Schwaden, der hohlen Phrasen verbannt sein.»

Aber Ransom verkennt die Macht der «Schwaden» und der «hohlen Phrasen», die in dem Roman eine verändernde Rolle spielen, öffentlich wie privat. Wie ein ansteckender Nebel über einer Stadt sind diese Aussagen, wie abgedroschen auch immer, mit der Macht versehen, ein Publikum zu verführen und in ihren Bann zu ziehen – mögen es Hunderte oder bloß einer sein. Die hohlen Phrasen beider Seiten – Mister Ransoms konservative Äußerungen und die radikalen Erklärungen der Bostoner Feministinnen – werden von der menschlichen Stimme mit Leben gefüllt, und der Stimme schreibt die Erzählung eine nahezu magische Kraft zu. Über weite Strecken des Romans gehört die bezwingendste Stimme Verena. Sie ist die Zauberin, deren Reden ihre Zuhörer «in Bann halten», wenn sie Ansprachen hält, die mehr einer musikalischen Darbietung gleichen als einer Lesung. Wie eine Hexe im Märchen, «spinnt» Verena «stimmliche Laute zu einem Silberfaden». Sie verzaubert auch Ransom. Als er sie in Cambridge ausfindig macht, wird ihm klar, dass er dabei ist, sich in sie zu verlieben, und seine Sicht auf sie hat den gesteigerten Glanz, in dem ein geliebter Mensch erstrahlt. Er vergleicht sie mit einer Nymphe, und sie ruft «überirdische Orte» für ihn herauf. Olive stellt sich ebenfalls vor, die wunderbaren Eigenschaften ihrer neuen Freundin «seien unmittelbar vom Himmel gefallen, ohne durch ihre Eltern zu sickern». Verena Tarrant leuchtet, aber die Quelle dieses Leuchtens, ihre faszinierende Macht über Zuhörer, über Basil Ransom und Olive Chancellor besteht weniger im Vorhandensein besonderer Eigenschaften in ihrer Persönlichkeit als in deren Fehlen. Dem Mädchen mangelt es an einem Bewusstsein seiner selbst, und wie Miss Birdseye hat es kein verankertes, festumrissenes Selbst. Wenn sie Ransom gegenüber einen Satz wiederholt, den sie im Verlauf des Romans schon zweimal gesagt hat, «Oh, das bin nicht ich, wissen Sie. Das ist etwas von außen!», wiederholt sie, was ihre Souffleure ihr vorgesagt haben, und spricht zugleich eine Wahrheit über sich aus. James will auf etwas hinaus, was ich immer geahnt habe – nämlich, dass die öffentliche Person unweigerlich in die dritte Person hinübergleitet, weg vom *Ich* und hin zum *Er* oder *Sie. Damen in Boston* setzt sich mit einer frühen Inkarnation dessen auseinander, was schließlich die amerikanische Prominenten-Kultur werden wird. James sah sie kommen, und der Roman nimmt den Moment vorweg, in dem Menschen von allen inneren menschlichen Eigenschaften entleert und zu Bildern werden sollten, auf dem öffentlichen Markt mit Profit gehandelte Waren, eine Zeit, in der Berühmtheiten die merkwürdige, aber passende Gewohnheit annehmen sollten, von sich selbst in der dritten Person zu sprechen.

Bevor es Kino, Radio und Fernsehen gab, war Werbung gleichbedeutend mit Zeitungen. Erzählerisch ist es passend, dass Verena von einem Vater abstammt, der keinen individuellen, persönlichen Charakter hat. Selah Tarrant ist nicht nur ein Halunke; er ist ein Halunke, der besessen ist von dem Gedanken an öffentliche Anerkennung und an das Geld, das man damit machen kann. Wie eine zuckende Motte von der Lampe wird Tarrant unwiderstehlich vom grellen Licht der Publicity angezogen. In der verzweifelten Hoffnung, irgendwie aufzufallen, frequentiert er die Büros und Setzereien von Zeitungen. Der inbrünstigste Wunsch in Selah Tarrants billigem, korrupten kleinen Herzen ist es, von irgendeinem Zeitungsmenschen interviewt zu werden. Es gibt einen umtriebigen Journalisten in *Damen in Boston*, einen, dessen Name schon eine Entschuldigung ist: Mathias Pardon. Er lungert am Rand der Geschichte herum, zuerst bei Miss Birdseye und am Ende in der Music Hall, mit Auftritten dazwischen. Eine Verkörperung des unbewussten Kriechertums der Presse. Pardon bereitet nur sein Familienname Skrupel. Ihm ist überhaupt nicht klar, dass seine Fragen taktlos und aufdringlich sein könnten, und er produziert fröhlich einen geistlosen Artikel nach dem anderen. Obwohl Pardon eine komische Figur ist, hat seine Vulgarität etwas Unheilverkündendes an sich; der Mann ist ohne jede Moral. «Sein Glauben war wiederum Selah Tarrants Glauben – in der Zeitung zu stehen sei die wahre Seligkeit, und es wäre kleinlich, den Preis für dieses Vorrecht in Frage zu stellen.» Es ist kaum möglich, diesen Satz zu lesen, ohne zu merken, wie vorausschauend er ist. Dieser Glaube sollte schließlich zu dem grotesken nationalen Schauspiel des gegenwärtigen amerikanischen Lebens führen, in dem sich unzählige Menschen für den zweifelhaften Ruhm, «im Fernsehen» zu sein, öffentlich erniedrigen und entwürdigen.

Das Paradox von Publicity besteht darin, dass sie eine Umkehrung zwischen privat und öffentlich herstellt. Die Presse, insbesondere der Teil der Presse, der über Kultur berichtet, verwandelt das, was für den öffentlichen Verbrauch bestimmt ist – die Kunst –, in bloßen Klatsch über das Privatleben der Leute: «Für diesen einfallsreichen Sohn seiner Zeit hatte jegliche Unterscheidung zwischen der Person und dem Künstler zu existieren aufgehört; der Schriftsteller war eine Person, die Person Futter für die Zeitungsjungen, und alles und jeder ging alle etwas an.» Pardon lauert auf den Seitenlinien von Verenas Aufstieg zum Star und giert danach, die *story* als Erster zu bringen. Am Nachmittag vor dem Auftritt in der Music Hall sucht der Journalist ohne Erfolg jeden Winkel nach Olive und Verena ab und schleicht sich schließlich in das Haus der Familie ein, wo er Olives Schwester mit Fragen nach «irgendeiner kleinen persönlichen Information» über die Rednerin oder ihren Coach bombardiert. Die Leser, sagt Pardon, seien genauso an Miss Chancellor wie an Miss Tarrant interessiert. Unter dem

Banner des *Öffentlichen* und der *Publicity* wird die hehre Sache, die Frauen zu befreien – eine Sache, die Olive für den «Fortschritt der Menschheit» verficht –, in vulgäres Geschwätz über häusliche Arrangements verwandelt.

Obgleich Basil und Olive Verena als ein weltfremdes Wesen betrachten, ist sie das keineswegs. Verena hat ihr ganzes junges Leben auf der öffentlichen Bühne gelebt, ein Leben, das ihr jede innere Stabilität, jede Kenntnis ihrer eigenen Bedürfnisse geraubt hat, und eben dieses Schwebende, nach außen Gekehrte macht sie äußerst verwundbar. Das Mädchen, das Macht über ein großes Publikum hat, wird in seinem Privatleben brutal manipuliert. Es ist James' großes Verdienst, dass ein formbarer Charakter wie Verena, eine Person, die wie ein leeres Gefäß ist, das mit der Zeit mit den «hohlen Phrasen» anderer – zuerst ihres Vaters, dann Olives und schließlich Basils – angefüllt wird, dennoch ein ganz und gar glaubwürdiger Mensch ist. Ihre Freundschaft und Loyalität für Olive Chancellor, ihr Hingezogensein zu Basil Ransom und ihr reizender, verwirrter Wunsch, beiden zu gefallen, sind ebenso ergreifend wie ein Kind, das in einen Vormundschaftsstreit geraten ist. Verenas erwachendes Bewusstsein davon, dass sie ein Innenleben und persönliche Wünsche hat, hängt mit einem Geheimnis zusammen, das sie vor Olive hat. Sie erzählt ihrer Freundin nicht, dass sie Basil Ransom in Cambridge getroffen hat. Dies, schreibt der Erzähler, ist «das einzige Geheimnis, das sie in der Welt hatte – das einzige, was ganz ihr gehörte». Verständlicherweise ist sie wenig geneigt, es zu verraten.

Es gibt nichts Persönlicheres als ein Geheimnis, und ein Geheimnis ist natürlich verschwiegen. Schweigen gehört zur Einsamkeit, die Stimme zur Außenwelt. Anders als die redselige Verena hat Olive unter ihrem Schweigen zu leiden. Hochgradig nervös, verschlägt es ihr mitunter die Sprache, und sie muss sich durch ihr Verstummen hindurchkämpfen, ehe sie ihre Stimme wiederfindet. Trotz eines leidenschaftlichen Wunsches, öffentlich zu reden, leidet sie unter einer so verschlossenen Natur, dass sie gleichsam behindert ist. Die unverheiratete junge Frau hat etwas von einem Bauchredner an sich. Sie spricht durch Verena, findet ihre Stimme in einem anderen Körper. Olive ist es nämlich, erzählt Verena Ransom, die ihr die Reden schreibt: «Sie rät mir, was ich sagen soll – das Echte, die starken Wahrheiten. Miss Chancellor hat so viel Anteil daran wie ich!» Das ist intimes Gelände, die Besetzung eines Menschen durch einen anderen, und es hat etwas mit Gewalt zu tun – der habgierige, fieberhafte Wunsch, sich mit der Geliebten nicht nur zu vermischen, sondern sie völlig in Besitz zu nehmen. In *Damen in Boston* nehmen Wörter den Platz sexueller Penetration ein. Wörter dringen in Verena ein, und Wörter verursachen ihre Zerstörung. Die mächtigsten Wörter gehören jedoch nicht Olive Chancellor, sondern Basil Ransom.

Ebenso wie Olive sehnt Basil sich nach einem öffentlichen Forum, wo seinen Ideen Gehör geschenkt würde. Sein Bemühen wird nicht durch krankhafte Schüchternheit vereitelt, sondern durch die schlichte Tatsache, dass seine Ideen zu unpopulär sind, um, zumindest im Norden, viele Zuhörer zu finden. Er hat zwar mehrere Essays geschrieben und sie an Verlage geschickt, aber sie wurden verschmäht. Der Erzähler informiert uns, dass ein Lektor in einem dieser Ablehnungsschreiben Ransom mitteilte, er hätte dreihundert Jahre früher leicht eine Zeitung finden können, die seine Gedanken abgedruckt hätte. Er ist einfach zu spät gekommen. Als unveröffentlichter

Autor ist Ransom in der öffentlichen Sphäre, in der er so gern sprechen möchte, stimmlos gemacht. Seine Frustration spiegelt die von Olive, und seine Motive, Verena nachzulaufen, sind genauso kompliziert, trotz der Tatsache, dass sein Begehr letztlich das Gegenteil von Olives Zielen ist. Er will Verena in der Öffentlichkeit mundtot machen. Um die Worte von Mrs Burrage zu übernehmen: Er beabsichtigt, «sie gänzlich zum Schweigen zu bringen». Wir wissen, dass Ransom gutdurchdachte Argumente für diese Position hat und dass er ebenso aufrichtig ist wie seine feministische Widersacherin. Weder Mr Ransom noch Miss Chancellor sind der Heuchelei schuldig, doch der Mann aus Mississippi ist auch der bedürftige, aber stolze Überlebende eines ruinierten Südens, wo seine Mutter und seine Schwestern noch unter den ärmlichen Bedingungen der Niederlage leben. Auch Olive hat ihre beiden Brüder im Krieg verloren (ein Echo auf James' Brüder, die Soldaten waren), aber trotz deren Tod hat sie als Nordstaatlerin nicht ihren Lebensstandard eingebüßt. Ransoms Familie hat alles verloren, außer ihrer Vornehmheit, und ganz zu Beginn des Romans, als er in Olive Chancellors Salon sitzt und darauf wartet, dass sie sich zum ersten Mal zeigt, wird der Leser mit dem Anflug von Groll bekannt gemacht, der seine Erfahrung färbt: «Er knirschte leise mit den Zähnen, als er über die Gegensätzlichkeit des menschlichen Schicksals nachdachte; angesichts dieses gutgepolsterten weiblichen Nestes kam er sich unbehaust und unterernährt vor.» Ransom ist ein Mann, bei dem jede Regung und jedes Wort von der Erinnerung an Leiden belastet ist, und wie Olive hat er sich an Ideen geklammert, die seine Gefühle persönlicher Kränkung und einen unerkannten, aber dennoch offenkundigen Rachedurst ausdrücken.

Sobald Ransoms Hingezogensein zu Verena bewusste Liebe geworden ist, wird seine Jagd auf sie zunehmend mit Ausdrücken der Gewalt beschrieben. «Indem er so mit dem Thema spielte, sich an ihrem sichtlichen Zögern freute, war er sich ein wenig seiner männlichen Brutalität bewusst – eines Dranges, ihre Gutmütigkeit auf die Probe zu stellen, eine Gutmütigkeit, die anscheinend keine Grenzen kannte.» Später wird ihm klar, dass sein unnachgiebiger Druck «sie dem Angriff gegenüber extrem wehrlos» gemacht hat, dass er eine «Belagerung» vornimmt. Gegen Ende des Romans ist Verena in einem Zustand des «Kapitulierens», und er hat sie «mit Muskelkraft» von Olive und dem wartenden Publikum «losgerissen und drängte sie hinaus ...». Die Kriegsmetaphorik ist offensichtlich. James deutet damit auf eine zweite, wesentlich persönlichere Version des Nord-Süd-Konflikts hin, aber Mr Ransoms Sieg über Miss Chancellor, seine Eroberung Verenas und ihre Zukunft in den Fesseln der Ehe werden nicht «mit Muskelkraft» erreicht, sondern durch Reden.

Es ist interessant zu beobachten, dass Ransoms Entscheidung, trotz seiner Armut und seiner trüben Aussichten ernsthaft um Verena zu werben, von der eher fadenscheinigen Rechtfertigung genährt wird, einer seiner Essays habe zuletzt doch noch einen Verleger gefunden. Eine einzige Veröffentlichung verändert Ransoms finanzielle Zukunft nicht, aber er begreift sie als Anzeichen für eine neue öffentliche Stimme, die ihn in seinem Bestreben, Verena zum Schweigen zu bringen, bestärkt. Die neu erworbene Statur als öffentlicher Redner verleiht Ransoms privaten Äußerungen, einem Heiratsantrag, Glaubwürdigkeit, genauso wie seine antifeministischen Ideen seine überaus *persönliche* Annäherung an Verena rechtfertigen. Die eloquenten Phrasen, die das Erschütternde weiblicher Unterdrückung beschreiben, mit denen Olive Verena füttert, können es nicht mit Basils verbaler Verführung aufnehmen. Es stellt sich heraus, dass die Anschuldigung, Miss Tarrant sei nicht wirklich, seine durchschlagendste Phrase ist. Er sagt Verena, sie habe in ihrem Wunsch, anderen zu gefallen, allmählich Ähnlichkeit mit «einer albernen kleinen Marionette» bekommen, deren Fäden jemand hinter den Kulissen zieht, und der Freier wendet den eigenen Satz des Gegenstands seiner Liebe gegen sie: «Das sind nicht *Sie*; Sie am allerwenigsten.» Woran Verena ursprünglich glaubte, selbstlose Hingabe an eine Sache, ein Glaube, der ihr erlaubte, mit Stolz zu verkünden: «Das bin nicht ich», wird von Ransoms unentwegtem rhetorischem Sturmangriff in eine Betrugsanklage verwandelt: «... diese Worte, die wirkungsvollsten und eindringlichsten, die er vorgebracht hatte, waren tief in ihre Seele eingedrungen und hatten dort weitergewirkt und gegärt. Sie war schließlich so weit gelangt, den Worten zu glauben, und das war die Veränderung, die Wandlung.» Satz um Satz dringt Ransom in das Allerheiligste ihrer Zweifel ein. Obwohl er eine Wahrheit angetastet hat und Verena die Hoffnung bietet, «in ihrer ganzen Freiheit hervorzutreten», ist sein Versprechen am Ende das einer andauernden Gefangenschaft unter einem anderen Namen. Verenas Schicksal ist traurig, aber sie ist ein zu wabbeliger, hohler Charakter, um tragisch zu sein, und Basil Ransoms Verlangen nach Verena Tarrant wird von der Statur seiner Gegenspielerin, Olive Chancellor, verstärkt, die, anders als Verena, ihm wirklich ebenbürtig ist. Im Hinblick auf die politischen Ansichten in dem Buch erzeugt diese Ironie am Ende einen schrecklichen Nachhall. Sie erlöst James auch von dem Vorwurf, *Damen in Boston* wende sich in irgendeiner Weise gegen Frauen. Es ist ein Buch, das sich mit Anliegen unwohl, mit Frauen aber zutiefst, ja innig wohl fühlt.

Nur Olive Chancellor erreicht in dem Roman tragische Dimensionen, weil sie von allen Figuren im Buch am meisten fühlt, und Fühlen ist der Bereich, in dem Henry James überragend ist. Die qualvoll aufs Private reduzierte Olive Chancellor wird am Ende die grauenvolle Erfahrung machen, öffentlich exponiert zu sein und zu versagen, und zudem den Menschen zu verlieren, den sie auf der Welt am leidenschaftlichsten liebt, und dieses Schicksal hat sie selbst herbeigeführt. Ihre Schuld verringert jedoch die Tiefe und Wahrhaftigkeit ihres Kummers oder das unermessliche Mitleid des Lesers für sie nicht im Geringsten. Steif, humorlos, voller Vorurteile und halb blind für die Gründe ihres Handelns, wird die unverheiratete kleine Bostonerin in ihrem tiefen Leid und ihrer Demütigung heroisch.

> ... sobald Ransom sie ansah, erkannte er, dass die Schwäche, die sie gerade noch an den Tag gelegt hatte, verflogen war. Sie hatte sich wieder gestrafft und hielt sich in ihrem Jammer eisern aufrecht. Der Ausdruck ihres Gesichts war etwas, was für immer in seiner Erinnerung haften sollte; es war unmöglich, sich eine anschaulichere Darstellung vernichteter Hoffnung und verletzten Stolzes vorzustellen. Bitter, verzweifelt, starr schwankte sie dennoch und wirkte unsicher: Ihre blassen, glitzernden Augen blickten angestrengt ins Leere, als hielten sie Ausschau nach dem Tod. Hätte sie ihn auf der Stelle finden können, starrend vor Stahl oder geisterfahl im Feuerglanz – diese Vision kam

Ransom selbst in diesem mit Eindrücken übersättigten Augenblick –, sie hätte sich ohne Zagen hineingestürzt wie eine Heldin, die sie ja auch war.

«In der Kunst ist Gefühl immer Bedeutung», sagt James. Meiner Ansicht nach erhellen diese Worte nicht nur die *ars poetica* des Romanciers, sondern auch seine große Stärke. Aus seiner Welterfahrung und seiner Empathie für andere ist ein Werkganzes hervorgegangen, das sich sämtlichen vorgefertigten Kategorien, überkommenen Vorstellungen und festgelegten Begriffen hartnäckig verweigert zugunsten der schwierigen, seltsamen, feinfühligen und immer mannigfaltigen Arena menschlicher Beziehungen und Emotionen. Ich glaube, er spürte, dass jeder Versuch, das Leben auf ein – religiöses, politisches oder philosophisches – Glaubenssystem zu reduzieren, unweigerlich eine Form der Lüge werden muss.

Im fortgeschrittenen Alter versuchte Henry James, seinen Argwohn gegenüber Systemen zwei politisch engagierten Schreibern zu erklären: George Bernard Shaw und H. G. Wells. Als Mitglied eines Komitees, das ein Stück von James abgelehnt hatte, erklärte Shaw dem Autor in einem Brief: «Die Leute wollen kein Kunstwerk von Ihnen. Sie wollen Hilfe, sie wollen vor allem Ermutigung.» In seiner Antwort argumentiert James: «... jede direkte ‹Ermutigung› – was Sie bei mir anmahnen –, eine Ermutigung auf kürzestem Weg und eine, sagen wir, der ‹kunstlosen› Art, würde höchstwahrscheinlich seicht und irreführend werden ...» Wells hatte James mit der Veröffentlichung einer grausamen Attacke auf den älteren Schriftsteller in einem satirischen Buch mit dem Titel *Boon, The Mind of the Race* gekränkt, in dem er unter anderem dessen «Sicht des Lebens und der Literatur» kritisiert hatte. An Wells schrieb James: «Ich *habe* keine Sicht des Lebens und der Literatur, die ich vertrete, ich behaupte vielmehr, dass unsere Form zumal der Literatur gerade durch ihre breite Palette und ihre Vielfalt, durch ihre Plastizität und Liberalität, ihr redliches Profitieren von der aufrichtigen und veränderlichen Erfahrung des jeweiligen Schreibenden großartig ist.» Und an anderer Stelle in dem Brief führte er weiter aus: «Kunst *schafft* Leben, schafft Interesse, schafft Bedeutung, damit wir diese Dinge betrachten und anwenden, und ich wüsste keinen Ersatz für die Kraft und Schönheit ihres Entstehens.»

James glaubte nicht etwa an die Macht der Kunst, weil er meinte, sie würde die Welt verändern, oder weil er sich einbildete, sie könnte ein Spiegel des Lebens sein. Kunst, erklärt er Wells, ist «für die Erweiterung des Lebens, das Beste, was der Roman zu geben hat».

Vermutlich war James für seine Briefpartner zu subtil, aber der Gedanke der «Erweiterung» leuchtet mir ein, weil Kunst und Welt nicht so leicht voneinander getrennt werden können, wie wir es uns manchmal vorstellen. Eins kommt aus dem anderen, und sie vermischen sich in dem Bewusstsein, dem wir als Leser auf der Buchseite begegnen. Kunst kann Leben machen und tut es, wie James sagt, weil die Begegnung mit einem großen Kunstwerk Fühlen erzeugt, und dieses Fühlen im Leser, im Betrachter oder Zuhörer ist letztlich das, was das Werk *bedeutet.* Ich habe viele Jahre mit James' Figuren und Geschichten gelebt, und sie verlassen mich nicht. Sie sind ein Teil derjenigen geworden, die ich bin, und ich muss einfach glauben, dass ihr Schöpfer, der sich wegen seiner niedrigen Verkaufszahlen und fehlenden Popularität bei den Lesern grämte, sehr glücklich gewesen wäre, hätte er gewusst, wie ich fühle. Er wäre froh gewesen zu erfahren, dass sein Werk Bestand hat und an Bedeutung gewonnen hat und ich nur eine von vielen bin, die durch seine Bücher auf Dauer verändert wurden.

In seiner breiten Palette und Vielfalt, seiner Plastizität und Liberalität ist *Damen in Boston* eine Konkretisierung von James' nichtnormativer Idee dessen, was ein Roman sein sollte. Mit einer Geschichte, in der die Macht der Worte dargestellt wird, menschliche Realität zu vernebeln, auszubeuten und zu verdrehen, unterbreitet Henry James seine eigene nuancierte, präzise und sensible Prosa im Gegensatz zu den hohlen Phrasen, die sich aus Hörsälen ergießen, sich über die Seiten von Zeitungen ziehen und sich in jenem öden Klima, das Boston war, von einem Redner zum anderen verbreiten. Diese Stadt hat sich verändert, und die Vereinigten Staaten haben sich verändert, seit James seinen amerikanischen Roman schrieb, aber es sieht nicht so aus, als würden hohle Phrasen, leere Rhetorik, klischeehaftes Denken sowie vorgefertigte Meinungen und blanker Unsinn, die die Presse der Öffentlichkeit anbietet, in absehbarer Zeit weniger.

Ich glaube, es ist unmöglich, *Damen in Boston* zu lesen, ohne zumindest über die Art und Weise nachzudenken, wie wir Sprache benutzen oder wie Sprache uns benutzt. Vollkommen hinfällige, schwachsinnige politische Erklärungen beeinflussen und bewegen uns weiterhin aufgrund der Art, wie sie gesprochen oder geschrieben sind. Selbst die aufrichtigste Hingabe an eine edle Sache kann aus persönlicher Bosheit oder subjektivem Elend geboren sein. Es besteht immer eine Kluft zwischen dem, was wir fühlen, und dem, was wir sagen. Henry James wusste, dass es herzzerreißend schwierig ist, den

Fluss der Erfahrung in Worte zu fassen, das Rätsel menschlicher Gefühle und Handlungen zum Ausdruck zu bringen, doch genau das war sein Ehrgeiz, und ich, als eine seiner treuen Leserinnen, liebe ihn dafür.

2004

Charles Dickens und das kranke Bruchstück

«Immer, wenn ich in Paris bin, werde ich von irgendeiner unsichtbaren Kraft in die Morgue gezogen. Ich will gar nicht dorthin, aber etwas zerrt mich immer hin.» Diesen Satz legt Charles Dickens dem Erzähler von *Der ungeschäftliche Reisende* in den Mund, doch er benutzt dieselben Wörter, um seinen eigenen Zwang, Leichen anzuschauen, zu beschreiben: «Ich werde von einer unsichtbaren Kraft ins Leichenschauhaus gezogen.» 1847 lockte ihn diese geheime Macht wieder und wieder in die Pariser Morgue, und bei einem dieser Besuche wurde er plötzlich von der entstellten, aufgedunsenen Leiche eines Mannes gefesselt, der ertränkt worden war. Sechzehn Jahre später begann Dickens einen Roman über das Ertrinken zu schreiben, *Unser gemeinsamer Freund.* Es sollte das letzte Buch werden, das er vollendete, ehe er starb. Das Bild jenes namenlosen Mannes auf dem Tisch im Leichenschauhaus muss die ganze Zeit wie ein Gespenst, das auf eine Geschichte wartet, in Dickens fortbestanden haben. Die Geschichte, die er dann schrieb, macht sich mit einem ganzen Arsenal verbaler Waffen – Humor, Ironie und Pathos – über das Problem des Leichnams her. Der tote Körper war Dickens' Muse, der Katalysator, der das Schreiben von *Unser gemeinsamer Freund* hervorbrachte, das schauderhafte Ding, das einen Strom von Wörtern herauskatapultierte, um der Wahrheit eine Schlacht zu liefern, der sich jeder Mensch gegenübersieht: Die Leiche ist meine Zukunft. Ich werde sterben.

Je näher ich dem Tod komme, desto bedrohlicher wird er. Das eine Mal, als ich eine offene Wunde auf einem Operationstisch sah, wurde ich ohnmächtig. Vor ein paar Jahren hatte ich einen Autounfall. Unmittelbar nach dem Zusammenstoß sah ich verschwommen, und mir war übel, und obwohl ich es schaffte, bei Bewusstsein zu bleiben, stand ich unter Schock. Sogar nachdem ich mit dem Bescheid, nur Blutergüsse und Prellungen davongetragen zu haben, aus dem Krankenhaus entlassen und nach Hause geschickt worden war, schreckte ich mehrere Nächte hintereinander von dem Aufprall auf – dem plötzlichen, furchtbaren Stoß, der die Windschutzscheibe zerschmetterte und das Auto um mich herum zerdrückte. Ich fühlte es in meinem Körper, als würde es genauso, wie es geschehen war, noch einmal geschehen, und in meinem Schrecken wurde ich aus dem Schlaf gerissen. Dieses Traumbild hatte keine Beziehung zu anderen Träumen, die ich gehabt hatte; es war kurz und vereinzelt – ein Nacherleben des Augenblicks, in dem der Kleinbus mit uns zusammenstieß. Ich vermute, dieser «Traum» war eher eine traumatische Erinnerung. Soldaten im Krieg und Opfer von Verbrechen oder Katastrophen können jahrelang von solchen ungewollten Erinnerungen heimgesucht werden – schaurige Bruchstücke von Erlebnissen, die nicht verarbeitet werden können, weil sie keinen Sinn ergeben. Das Bewusstsein widersetzt sich einer Kategorisierung des Schrecklichen – es weiß nicht, wohin damit –, aber Spuren des Unbegreiflichen halten sich dennoch; nicht mehr ganz und gar bewusst, scheinen sie außerhalb von Raum und Zeit zu schweben.

Dickens' Reisenden zieht es in die Morgue, um eine Leiche zu besichtigen, und nachdem er sie gesehen hat, wähnt er sie überall. Er geht in ein öffentliches Bad und phantasiert, der «große dunkle Körper» würde auf dem Wasser schaukelnd auf ihn zutreiben. Als er versehentlich ein bisschen Wasser schluckt, graut ihm bei dem Gedanken, er könnte «die Verseuchung durch das Wesen darin» schmecken. Später «an jenem Tag, beim Abendessen, sah ein Happen auf meinem Teller aus wie ein Stück von ihm». Obwohl der Körper, den er in der Morgue sah, intakt war, wird der Reisende von einem Leichnam verfolgt, der sowohl ausläuft als auch zerfällt, ein Abscheu erregendes Objekt, das droht, als Bakterie oder Nahrung in ihn überzugehen. Sein Ekel kommt aus einer Angst, die Schutzschranke zwischen ihm selbst und dem Objekt würde sich verschieben, fallen oder einstürzen. Horrorfilme bedienen sich ständig dieser Furcht: dass die Toten, nun ja, nicht tot sind, sondern sich in der Welt herumtreiben und für gewöhnlich hinter irgendeiner schreienden jungen Frau her sind. Obwohl es Phantasieprodukte sind, lügen diese Filme nicht. Am Ende holt der Tod uns alle ein.

Gleich zu Anfang von *Unser gemeinsamer Freund* begegnet dem Leser die erste von mehreren Wasserleichen. Ein Polizeiinspektor hat die Leiche übernommen, aber er weiß nicht recht, wie er das Ding in seinem Gewahrsam nennen soll. Zuerst spricht er den Toten mit *«du»* an; etwas später dann tut er einem Zuschauer kund: «Ich nenne es immer noch *er*, sehen Sie.» Der Herr Inspektor ist die erste in einer Reihe von Figuren, die Schwierigkeiten mit Pronomen haben. Was bedeutet es, jemanden *du* oder *er* zu nennen? Wann wird *er* zu *es*? Das sind letzte Fragen, und sie werden in dem Roman unentwegt gestellt. Bei der Verteidigung der Doktorarbeit, die ich 1986 an der Columbia University schrieb, wurde ich von Steven Marcus, dem Dickens-Forscher und Verfasser von *From Pickwick to Dombey*, gefragt, ob ich meine, dass Dickens *wusste*, was er tat, ob er wusste, dass sein Werk metaphysisch ist. Ich verneinte dies, und er stimmte mit mir überein. In der Kunst ist Wissen nicht alles – das Nichtgewusste bahnt sich oft seinen Weg an die Oberfläche. In den letzten Jahren haben die Neurowissenschaften nachgewiesen, dass Freud insofern sicher recht hatte: Ein gewaltiger Teil dessen, was das Gehirn tut, ist unbewusst. Und jeder Romancier kann davon berichten, dass beim Schreiben so manches geschieht. Er weiß nicht, warum und woher die Figuren oder ihre Worte kommen, aber auf einmal sind sie da, und oft sind jene einzigartigen Geister und ihre Stimmen aus dem Nirgendwo genau die für die Geschichte entscheidendsten.

Die Romanhandlung dreht sich um die Identität des Ertrunkenen, den der Herr Inspektor «du», «er» und «es» nennt. Diese Leiche wird von Gaffer Hexam und seiner Tochter Lizzie aus der Themse gezogen, die den Leichnam dann den Behörden übergeben. Die bei der Leiche gefundenen Papiere führen dazu, dass sie als John Harmon identifiziert wird, Sohn eines Londoner Müllkönigs und Erbe eines Vermögens. Da der Sohn nun tot ist, fällt das Geld an die Boffins, den Goldenen Müllmann und seine Frau, ehemals treue Diener des alten Harmon. Silas Wegg, ein verschlagener Beobachter des neuen Reichtums der Boffins, heckt etwas gegen sie aus. Eine Belohnung, die für Informationen über den Täter ausgesetzt wird, bringt Rogue Riderhood, eine zwielichtige Flussratte, auf die Idee zu einem Betrug, der ihn in das Büro von

Eugene Wrayburn und Mortimer Lightwood führt, zwei Anwälten, die den Harmon-Nachlass verwalten. Dort beschuldigt Riderhood Gaffer Hexam, der die Leiche fand, fälschlich des Mordes. Dies bringt den der Oberschicht angehörenden Eugene Wrayburn und die der Unterschicht angehörende Lizzie Hexam zusammen, und ihre Liebesgeschichte beginnt. Aber die Behörden irren sich. Die im Fluss gefundene Leiche ist nicht John Harmon, sondern George Radfoot, ein Freund Harmons, der Ähnlichkeit mit dem Erben hatte. Dieser Irrtum erlaubt es John Harmon, der viele Jahre fern der Heimat war, sich als jemand anderes auszugeben und Zuschauer seines eigenen Todes zu werden. Er ändert seinen Namen in Rokesmith, zieht in sein ehemaliges Vaterhaus ein, arbeitet als Sekretär für Boffin und beobachtet dort die schöne, aber verwöhnte Bella Wilfer, das Mündel der neuerdings verschwenderischen Diener, und die Frau, die ihm im Letzten Willen seines Vaters zugesprochen wurde – seine Heirat mit ihr ist eine Vorbedingung für den Antritt seines Erbes –, und seine Werbung mit Hindernissen beginnt. Durch gesellschaftliche Beziehungen oder bloßen Zufall treffen all die verstreuten Element der Geschichte zusammen: Lizzie und Bella lernen sich kennen. Bradley Headstone, der Lehrer von Lizzies Bruder, und Eugene Wrayburn treffen aufeinander und werden Rivalen um Lizzie. Von einer verhängnisvollen Leidenschaft für Lizzie gepackt, tut Headstone sich mit Riderhood zusammen. Das hat schlimme Folgen. Riderhood, Headstone und Gaffer, sie alle ertrinken. Eugene Wrayburn ertrinkt beinahe, doch am Ende werden Paare vereint, die Bösen werden bestraft, und die meisten Guten scheinen auf dem Weg in den bekannten Märchenzustand, «sie lebten glücklich bis an ihr Ende».

Dinge sehen

Metaphern verändern immer die Art, wie wir Dinge in unserem Kopf sehen. Wenn ein Ding in einem Satz mit einem anderen verglichen wird, verschmelze ich beide zu dem geistigen Bild, das ich beim Lesen erzeuge. Dickens' Metaphern jedoch sind radikaler als die der meisten Schriftsteller, weil sie die Konturen der konventionellen Wahrnehmung auseinandernehmen, und beim Lesen seiner Bücher muss ich die Bilder, die ich in meinem Kopf sehe, fortwährend umsortieren. Das normale Sehen wird in hohem Maße von unseren Erwartungen bestimmt. Dinge als einzelne Identitäten *da draußen* zu erkennen, lernen wir dadurch, wie unser Gehirn visuelles und linguistisches Material ordnet, um «ganze Objektrepräsentationen» zu ermöglichen. Einfacher gesagt, wir sehen keine nackte Welt, sondern ein visuelles Feld, das von Erfahrung, Erinnerung und Sprache determiniert wurde. Jeder Leser von Dickens merkt, dass in dessen Werk Objekte oft menschliche Züge haben und Menschen oft Dingen ähneln. Diese Vermischung von Unbelebtem und Belebtem ist zugleich lustig und subversiv. Zum Beispiel als der faszinierende Fledgeby in ein Haus eingelassen werden möchte, erfährt der Leser, dass «er nochmals an der Nase des Hauses zog und diesmal so lange, bis sich im dunklen Torweg eine menschliche Nase zeigte». Wenn der metaphorischen Nase ein buchstäbliche folgt, untergräbt die dadurch erzeugte komische Spannung beider Rang, sodass die «wirkliche» Nase fremd und körperlos wirkt, als schwebte sie allein im dunklen Raum des Torwegs. Dickens' Sprache richtet Verwüstungen unter den Objektrepräsentationen an, indem er sie niederreißt. Statt den menschlichen Körper von seiner Umgebung zu isolieren und sauber zwischen Lebendem und Nichtlebendem zu unterscheiden, bringt Dickens diese «normalen» Trennungen durcheinander, bis er mit der Zeit unsere Erwartungen vollständig neu ordnet.

Mit Silas Wegg erschafft Dickens eine Figur, die schon *buchstäblich* teilweise Objekt ist. Er hat ein Holzbein, das Wegg, wie der Erzähler uns mitteilt, «auf ganz natürliche Art und Weise entwickelt zu haben» scheint, vielleicht weil der Mann auch *metaphorisch* hölzern ist: «Wegg war ein knorriger Mann und einer mit vielen Narben, dessen Gesicht aus einem sehr harten Material geschnitzt war und so ausdrucksvoll war wie die Knarre eines Nachtwächters.» Sowohl sein Körper als auch das Gesicht mit seinen Tics sind eher dinghaft als menschlich. Dann, in einem Kapitel mit dem Titel «Herr Wegg schaut sich nach seinem Verbleib um», entdecken wir, dass der hölzerne Herr das Verlorene nur widerwillig aufgegeben hat, und einer wunderbaren ganz eigenen Logik gehorchend, geht er in einen schmuddeligen kleinen Londoner Laden und erkundigt sich nach *sich selbst*:

«Und wie ist's mir denn die ganze Zeit über ergangen, Mr Venus?»

«Schlecht», erwiderte Mr Venus kurz, ohne nach einem milderen Ausdruck zu suchen.

«Wie? Immer noch auf Lager?», fragte Wegg mit verwunderter Miene.

«Immer noch.»

Als ich diese Passage zum ersten Mal las, hatte ich keine Ahnung, was da los war, doch als mir klar wurde, dass das «Ich» in diesem bemerkenswerten Dialog Weggs verlorener

Beinknochen ist, musste ich laut lachen. Um zu diesem «Ich» zu gelangen, muss Wegg das vertraute Pronomen seinem üblichen Platz entreißen und an einen anderen zwingen: Er nimmt das, was normalerweise die dritte Person ist, als erste. Der französische Linguist Émile Benveniste macht eine gewichtige Unterscheidung zwischen dem, was er die *Polarität von Person* und *Nichtperson* nennt: «Es gibt Äußerungen im Diskurs, die sich trotz ihrer Individualität dem Person-Sein entziehen, das heißt, sie verweisen nicht auf sich, sondern auf eine ‹objektive Situation›. Dies ist der Bereich, den wir die ‹dritte Person› nennen.» Der Unterschied zwischen Polarität von Person und Nichtperson ist klar – im Dialog ist die Person immer umkehrbar. Ich kann du werden, und du ich, wohingegen dies nicht für er, sie, es gilt. Indem die erste Person außerhalb des Dialogs verlegt wurde, wurde Weggs *Person* zur *Nichtperson*, ein Sprung, der mich zurückführt zu der bereits erwähnten Verwirrung des Herrn Inspektor, wie er einen Toten anreden soll. Der «Ich»knochen ist letztlich ein Leichenteil von Wegg, das es schon ein bisschen früher in die Morgue geschafft hat als der Rest von ihm.

Wegg ist nur eine von vielen Figuren bei Dickens, die einen zerfallenen Körper haben. In den Romanen wimmelt es von Amputierten, blutenden Klumpen, Körpern, die explodieren, auseinanderfallen oder sich verflüssigen sowie zahllosen metaphorischen Hinweisen auf Zerfall. In *Geschäfte mit der Firma Dombey und Sohn* fährt ein Zug «mit Volldampf» über Carker hinweg «und schleuderte seine abgetrennten Teile in die Luft». In *Bleakhaus* verbrennt Krook plötzlich. In *Oliver Twist* verlässt Sikes die ermordete Nancy, «ein dunkles Häufchen in einem mit Blut besudelten Zimmer». In *Klein*

Dorrit wird Blandois zerschmettert, man findet ihn «als einen schmutzigen Abfallhaufen», und sein Kopf ist «in Atome zersplittert». In *Leben und Abenteuer Martin Chuzzlewits* verliert Joseph Willet einen Arm, und Simon Tapertits Beine werden zerquetscht und durch Holzbeine ersetzt. In dem unvollendeten Werk *Das Geheimnis um Edwin Drood* liegt auf der Hand, dass Jasper seinen Neffen mit gelöschtem Kalk beseitigt hat, einer Säure, die Haut und Knochen zersetzt. Und dies ist nur die engere Auswahl. Der zerschmetterte Körper ist ein Leitmotiv bei Dickens – ein zentrales Bild in der Vorstellungswelt des Schriftstellers. In *Unser gemeinsamer Freund* wird der kaputte Leichnam das Vehikel für die besessene Frage: Wie konstruiert man ein Selbst?

Weggs teures verstorbenes Bein ist im Besitz von Mr Venus, einem Mann im Knochenzusammenfügungsbusiness. Ich stelle mir gern vor, dass Dickens in jenem schmuddeligen Knochenladen all die zerschmetterten Leichen aus seinen früheren Büchern versammelte und Venus die unmögliche Aufgabe übertrug, sie wieder zusammenzusetzen. Venus steht vor drei Problemen: die Bruchstücke, die er vor sich hat, sehen, erkennen und schließlich identifizieren. In der ganzen Erzählung isoliert Dickens jeden Schritt, der ein Echo auf die Realitäten der Wahrnehmung bildet. Im dichten Nebel könnte ich vielleicht Gestalten vor mir *sehen*, aber ich *erkenne* keine von ihnen, oder, wie es oft vorkommt, ich erkenne vielleicht ein Gesicht, kann es aber nicht mit einem Namen *identifizieren*. Venus, dieser Enzyklopädist der Unterwelt, macht sich daran, die Einzelteilchen der Toten zu ordnen aus dem, was dem Erzähler zufolge ein «Durcheinander von Dingen» ist, «die eine entfernte Ähnlichkeit mit gebündelten Holzstäbchen, Leder- oder Heftpflasterstreifen haben, sich aber jeder genaueren Bestimmung entziehen». Dieses «Durcheinander» beschränkt sich nicht auf den Knochenladen; es ist von Anfang an ständig in der Geschichte da. Der Roman beginnt im Halbdunkel der Abenddämmerung auf der Themse. Der Erzähler lenkt die Aufmerksamkeit auf zwei Gestalten in einem Boot, das «kein Schild, keinerlei Aufschrift» hat. Vier Absätze weiter beleuchtet die untergehende Sonne kurz den Boden des Fahrzeugs, und der Leser erhascht einen Blick auf «einen dort sich abzeichnenden dunklen Fleck, der in seinen Umrissen einer verhüllten menschlichen Gestalt ähnelte». *Durcheinander* und *verhüllt* sind Wörter, die die ganze Welt des Buchs betreffen. Es ist schwer auszumachen, was da draußen ist. Staub weht durch die Straßen. Dunkle Gestalten tauchen auf und verschwinden. «Duster, duster, zappenduster», sagt eine andere Figur, Jenny Wren, während sie versucht, schlau daraus zu werden, wer wer ist in ihrem eigenen Leben und was was. «Werd nicht schlau draus.»

Aus der Welt schlau zu werden ist ein immer währendes Rätsel in *Unser gemeinsamer Freund*, und Mr Venus' Aufgabe ist es, zersplitterte Körper zusammenzusetzen. In einer erstaunlichen kleinen Parabel über das Isolieren, Erkennen und Benennen von Dingen macht er für Wegg eine Führung durch seinen Laden. «Ich habe mich weitergebildet», sagt er, «bis ich beim Sehen und Benennen perfekt bin.»

«Ein Schraubstock, Werkzeuge, diwerse Knochen und Schädel, ein Hindukind in Spiritus, ein afrikanisches dito ... menschliches Allerlei. Katzen, ein englisches Kinderskelett. Hunde. Enten. Diwerse Glasaugen. Getrocknete Menschenhaut … So, nun haben Sie einen ungefähren Überblick über das Ganze.»

Während dieser Vorführung hatte Venus sein Licht stets so gehalten und gedreht, dass es den Anschein erweckte, als kämen die von ihm genannten Gegenstände auf seinen Anruf hin gehorsam aus dem Dunkel hervor, um sich dann wieder zurückzuziehen.

Die Kerze macht die Gegenstände sichtbar und erkennbar, aber es scheint so, als riefen erst die Namen jedes Ding aus dem Dunkel hervor und machten es lesbar. Venus artikuliert seine anatomischen Analysen räumlich und sprachlich, schafft durch Kategorisieren Sinn aus Unsinn. Wegg drückt seine Bewunderung für die Arbeit des Anatomen aus, indem er sagt: «Sie, der Sie obendrein auch noch die unerschöpfliche Geduld besitzen, das ganze Gerüst der Gesellschaft – ich meine das menschliche Gerippe – an Drähten zusammenzufügen». Indem Wegg das «Gerüst der Gesellschaft» und die Knochen des menschlichen Körpers zusammenfallen lässt, macht er wieder ein brillantes Kuddelmuddel aus Dingen. Natürlich brauchen die Leute in der Gesellschaft ihre Knochen, doch die Anspielung des hölzernen Herrn auf dieses *Gerüst* hallt den ganzen Roman hindurch auf zwei Ebenen nach – wie der Körper visuell räumlich und sprachlich dargestellt wird.

Wir alle müssen uns selbst zusammensetzen, müssen ein funktionierendes Bild oder Gerüst haben, das wir als innere Repräsentation unseres Körpers mit uns herumtragen, mit dem wir eine Identität verbinden. Krankhafte Veränderungen des Körperbildes, ob durch Hirnverletzungen oder emotionale Erschütterungen, belegen, dass diese Repräsentationen sowohl wesentlich als auch mysteriös sind. «Phantomempfinden» zum Beispiel, bei dem Amputierte das Vorhandensein eines fehlenden Beins oder Arms spüren und oft Schmerzen darin haben, ist eine Form von Weggismus. Diese Menschen haben eine andauernde Beziehung zu einem Teil von sich, der faktisch verschwunden ist. Bei *Anosognosie*, einer anderen Störung, merken die Patienten nicht, was sie eingebüßt haben. Sie verleugnen, was für andere offensichtlich ist: dass sie gelähmt sind oder ihre linke Hand nicht bewegen können oder sonstige Ausfälle haben. Andere leiden unter einem Zustand, der schlicht *Neglect* genannt wird, eine oft halbseitige Vernachlässigung des eigenen Körpers und der Umgebung, als wären sie nicht da. Menschen mit schwerem Neglect können sogar wider alle Vernunft verleugnen, dass ein beeinträchtigter Arm oder ein beschädigtes Bein ihnen gehört – umgekehrter Weggismus. Anorektiker, Bulimiker und viele andere, die nicht als klinisch Kranke betrachtet werden, neigen ebenfalls zu gestörten Bildern ihres Körpers. Die heutige westliche Zivilisation ist voller Leute, die sich zu dick fühlen, obwohl sie eigentlich dünn sind, die ständig an ihre Hüften und Bäuche, ihre Tränensäcke und Falten denken müssen, und sogar die mit einem relativ stabilen Körperbild unterliegen in ihren Träumen Veränderungen. Ich selbst verliere im Schlaf regelmäßig Teile von mir, oft meine Zähne und mein Haar, aber ich habe auch schon Hände und Füße verloren. Entstellte, partielle und gebrochene Visionen des Körpers machen deutlich, dass diese Repräsentationen sehr viel prekärer sind, als wir annehmen möchten. Genau diese innere Zerbrechlichkeit kartographiert Dickens mit erstaunlichem Scharfsinn.

Weggs Hinweis auf das *Zusammenfügen* ist doppelsinnig.

Wörter werden ebenso zusammengefügt wie Knochen, und Sprache könnte sehr wohl «das Gerüst der Gesellschaft» genannt werden, weil sie unser Gemeinschaftsleben ermöglicht. In der Welt des Buches bezieht sich das Wort *Gesellschaft* auf bestimmte Personengruppen, von denen die wichtigsten die Podsnaps, Lammles und Veneerings sind. Trotz der Tatsache, dass Mr Venus' Laden und die feine Gesellschaft nicht weiter auseinanderliegen könnten, verbindet Dickens sie metaphorisch. Sie sind durch das kranke Bruchstück verlinkt, das Stück oder Teil, das sich, wie Weggs Knochen, weigert, in ein sinnvolles Gerüst einverleibt zu werden – das Ding, das nicht eingefügt werden kann. «Sie lassen sich schwer mit was anderm mischen», sagt Venus zu Wegg. «Kann's anstellen, wie ich will, Sie lassen sich nicht mischen. Jeder, der nur einigermaßen was davon versteht, würde auf den ersten Blick sagen: Geht nicht! Passt nicht zusammen!»

In einer Szene bei den Veneerings wird Dickens' «Gesellschaft» als zerbrochene Anatomie geschildert und nicht direkt, sondern in einem Spiegel gesehen. Die lange Passage ist gänzlich in unvollständigen Sätzen geschrieben, so als hätte das Fragmentarische, das der Erzähler beschreibt, auf die Syntax übergegriffen.

«Spiegelt eine reife junge Dame; Rabenlocken und Teint, der sich stark gepudert vorteilhaft aufhellt; macht entschiedene Fortschritte in der Eroberung von reifem jungen Herrn mit zu viel Nase im Gesicht, zu viel Zimtrot im Bart, zu viel Oberkörper in der Weste, zu viel Glanz in seinen Kragenknöpfen, seinen Augen, seinen Manschetten, seinem Reden und seinen Zähnen.»

Als Leser sehe ich ein Feld ohne Tiefe mit gespiegelten Tonscherben, in dem Oberkörper und Zähne gleichwertig mit Kragenknöpfen, Manschetten und sogar Reden sind, ein Bild, das wieder den Kleinkram in Mr Venus' Knochenladen und sein Zusammenfügen des «Diwersen» wachruft. Mit dem Einsatz eines Spiegels verfolgt Dickens eindeutig die Absicht, die Gesellschaft als eine Welt der Oberfläche, Künstlichkeit, Illusion darzustellen, als einen Firnis*, aber dazu muss er nicht die konventionellen Körpergrenzen zu zerstören. Tatsächlich sind Spiegel der einzige Ort, wo wir uns selbst von außen als visuelles Ganzes erleben. Das «Ich» übernimmt die Position eines «Du». Meistens sehen wir uns nur teilweise, unsere Hände, die sich vor uns bewegen, unsere Arme, Finger, unseren Torso oder unsere Knie und Füße. Diese totale Sicht des Körpers im Spiegel brachte den französischen Psychoanalytiker Jacques Lacan dazu, sein theoretisches Spiegelstadium zu postulieren, mit dem er den Zeitpunkt meint, in dem ein Kind sich selbst als ganze Person in einer Spiegelung durch das Auge des, wie Lacan es nennt, Anderen erkennt, das Andere, das sowohl ein realer anderer Mensch sein kann als auch die ganze symbolische Landschaft, in der das Kind lebt – nämlich die Sprache. Doch Lacan war nicht Piaget. Er war kein großer Kinderbeobachter, und ich glaube nicht, dass sein Spiegelstadium einem tatsächlichen Ereignis in der Geschichte der menschlichen Entwicklung entspricht. Es war eher seine Art, die Tatsache anzusprechen, dass wir als Menschen ohne Bewusstsein unserer Körpergrenzen geboren werden. Kleinkinder sind bruchstückhafte Wesen, die erst mit der Zeit zu einem vollständigen Ich

* engl.: veneer. A. d. Ü.

zusammenfinden, und die in der Sprache festgelegten Grenzen und Kategorien sind wesentlich für die Schaffung einer isolierten und vollständigen Vorstellung des Selbst. Dieses psychoanalytische Entwicklungsmodell, das sich von einem bruchstückhaften zu einem ganzen Körperbild bewegt, wird als Idee zwingender, wenn es auf Fälle von Hirnschädigung oder Geisteskrankheit, wie die zuvor erwähnten, angewandt wird. Für Lacan repräsentiert die im Spiegel gesehene Person eine Form von therapeutischer Ganzheit, eine Art von idealem Körper, einer, der nie ganz vollendet ist, weil er über einem Substrat von Bruchstücken aufgebaut wurde.

Immer wenn bei Dickens Sachen zu Bruch gehen, kann der Leser sicher sein, dass Identitäten ins Wanken geraten und der Geruch von Tod in der Luft liegt. Etwas Todgeweihtes durchdringt Dickens' *Gesellschaft*. Wie Weggs Knochen entziehen sich diese Leute dem Zusammenfügen. Zum Beispiel die betagte Lady Tippins: «Ob und wo in ihrem Hut und Mieder oder ihrer sonstigen Ausstaffierung ein Urbestandteilchen von einem wirklichen Weibe versteckt sein mag, das könnte allerhöchstens ihre Kammerzofe erraten.» Wenn dieses Hut-und-Mieder mit seinem Fächer wedelt, wird das Geräusch mit dem «Geklapper von Knochen» verglichen – ein Echo auf einen Kommentar, den Eugene Wrayburn vorher gemacht hatte. Während er auf die aufgedunsene Leiche von Radfoot hinunterblickt, stichelt er: «Nicht viel schlimmer als Lady Tippins.» Der kleine Bissen auf dem Teller des Reisenden wird in beißender Satire wiedergeboren. Die Frage ist: Wie kann man mit einem Namen identifizieren, was man nicht ausmachen kann?

Flottierende Zeichen

Es gibt keine magische Verbindung zwischen Wörtern und Dingen, oder wie Old Soldier in *David Copperfield* es ausdrückt: «Ohne Dr. Johnson oder jemanden wie ihn würden wir womöglich bis heute einen Louis-XVI-Sekretär einfach Schreibtisch nennen.» Ab und zu merke ich, dass ich lange und angestrengt auf ein Wort starre, das ich geschrieben habe, ein Wort wie *als*, und mich frage, was es um Himmels willen bedeutet und ob ich es richtig geschrieben habe. In solchen Momenten bin ich unmittelbar mit der willkürlichen und mysteriösen Natur von Sprache konfrontiert. Das Zeichen oder, wie Semiotiker sagen würden, der Signifikant, die eingeschriebenen Buchstaben *a-l-s*, scheint sich von der Bedeutung fortzubewegen und steht vor mir auf der Seite, splitternackt und absurd.

Unser gemeinsamer Freund ist ein Buch, das auf der Kluft zwischen Wörtern und Dingen herumreitet. Das Komische an «Lady Tippins» ist, dass ihr Name, der vermutlich eine ganze und sichtbare Person bezeichnen soll, sich stattdessen auf eine Kollektion von beweglichem weiblichem Rüstzeug hier und jetzt bezieht. Die Gesellschaft ist jedoch gleichgültig gegenüber der Außenwelt, weil sie den Namen als Fetisch über den Referenten erhebt. Die Tatsache, dass Tippings überhaupt nicht ausgemacht werden kann, spielt keine Rolle. Als Veneering für das Parlament kandidiert, hofft er, der mächtige Lord Snigsworth werde «seinen Namen als Mitglied meines Komitees hergeben. Ich gehe nicht so weit, seinen Titel Lordschaft zu wollen; ich will bloß seinen Namen.» Veneering schafft es mit Bestechung zu Amt und Würden, sodass der Leser erfährt, er dürfe nun «zu dem überaus billigen Preis von zweitausendfünfhundert pro Buchstabe ein paar Initialen hinter seinen Namen setzen». Er tauscht Pfundnoten gegen die Buchstaben *M. P.* Als dominierende kulturelle Fiktion entwickelter Gesellschaften ist Geld das ideale sinnleere Zeichen. Mich hat schon immer verblüfft, dass ich Papier gegen ein Buch oder ein Kleid eintauschen kann, dass Börsenkurse eigentlich auf Gerüchte hin – bloßes Reden – fallen und steigen und dass Leute mit etwas Handel treiben, was *Futures** genannt wird, als wäre so etwas möglich. Ich akzeptiere, dass all das Teil meiner Welt ist, und trotzdem finde ich es bizarr. Dickens teilte diese Verblüffung offensichtlich. So mächtig es ist, Geld verweist auf nichts Reales. Die Währung floatet. Dickens wiederholt Marx' Idee von Geld als grundlegendem Kauderwelsch der Gesellschaft, als «das allgemeine Verwechseln und Vermischen aller Dinge – die verkehrte Welt». Gehortet, wird Geld sogar noch bedeutungsloser, weil es nichts kauft. Es häuft sich bloß an wie Altpapier.

Wieso Geld einem Esel, der zu dumm ist, um dagegen Genüsse oder Annehmlichkeiten einzutauschen, so kostbar sein kann, mag manchem sonderbar erscheinen; aber es gibt kein Tier, dem diese Sonderbarkeit häufiger zugeschrieben wird als eben einem Esel, der am Himmel und auf Erden nichts anderes sieht als die drei trockenen Buchstaben L. S. D., die nicht etwa die Abkürzung für Luxus, Sinnenlust und Daseinsfreude zu verstehen sind, sondern als trockene Abkürzungen für Pfund (Livre), Shilling und Pence (Denarius).

* dt.: Termingeschäfte. A. d. Ü.

In einer Zeit, in der Designer*labels* und Star*namen* benutzt werden, um alles zu verkaufen, vom Auto bis zum Lippenstift, in der sinnlose Slogans und Texte und Akronyme ständig auf Bildschirmen und Werbeflächen und Zeitschriftentiteln gebeamt und aufgehängt und geschrieben werden, in der rechte Politiker die immer gleichen leeren Phrasen bis zum Erbrechen einhämmern und Wörter wie *Freiheit* und *Wahrheit* korrumpieren, bis sie nicht mehr zu erkennen sind und auf absolut nichts verweisen – in so einer Zeit ist Dickens' Satire auf trockene Buchstaben durchaus nicht irrelevant für uns. Das Schlimme daran ist, dass solcher Unsinn Macht hat, wenn er unter dem Deckmantel der Autorität verkündet wird.

Als junger Mann lernte Dickens Kurzschrift. Er nannte die kryptischen Schnörkel dieses neuen Alphabets «die despotischsten Sigel, die mir jemals vorgekommen sind».

> Die Unterschiede, die von kleinen Punkten abhingen, die an der einen Stelle das, an der andern jenes, gerade das Gegenteil, bedeuteten; die fabelhaften Streiche, die von kleinen Ringelchen verübt wurden; die unberechenbaren Folgen, die manche Zeichen nach sich zogen, die wie Fliegenbeine aussahen; die schrecklichen Wirkungen eines Hakens an der unrechten Stelle beunruhigten nicht nur meine wachen Stunden, sondern erschienen auch mir im Schlafe.

Ich habe ein ähnliches Verhältnis zu Zahlen. Algebra insbesondere bleibt für mich undurchdringlich. Viele Menschen können sich daran erinnern, dass sie in der Schule mit irgendwelchen unvertrauten Hieroglyphen zu kämpfen hatten, die sie beherrschen sollten, und wenn nicht, zu ihrem Scheitern führten. Von Kindern wird erwartet, alle möglichen willkürlichen Systeme zu verdauen, und die Anforderungen von oben können erdrückend sein. Obwohl selbst Vater von zehn Kindern, gab der Schriftsteller Dickens seine Kindposition nie auf. Er identifizierte sich mit Kindern und denen, die wie Kinder sind – jene, die keine Macht haben und unter den launischen und oft sadistischen Anforderungen derer leiden, die welche haben. Die Liste misshandelter Kinder in seinem Werk ist so lang, dass ich ganze Seiten mit ihren Namen vollschreiben könnte. Doch anders als in *Nicholas Nickleby* und *David Copperfield*, wo das Elend, von einem grausamen Schulmeister oder Stiefvater Wissen eingebläut zu bekommen, in den Geschichten bestimmter Figuren ausführlich und ergreifend dargestellt wird, ist *Unser gemeinsamer Freund* gegen väterliche Autorität als Abstraktum gerichtet.

Der tote Vater, der vermisste Vater, der entfremdete Vater und einfach der ferne Vater sind Figuren eines Verlustes, der im Leben und in der Literatur tief nachhallt. Väter sind prinzipiell anders als Mütter, weil wir alle einmal im Bauch unserer Mutter waren, aus diesem Bauch geboren wurden und als Säuglinge von diesem Körper genährt wurden. Vaterschaft ist ferner und weniger direkt als Mutterschaft; es ist ein *Anspruch*, den wir als Kinder akzeptieren, ein Anspruch, der in unseren legitimen, das heißt legalen Namen eingeschrieben ist. In *Unser gemeinsamer Freund* treten etliche Väter nie in Fleisch und Blut auf – ihre Körper sind außerhalb der Geschichte. Wie die Buchstaben und Namen, die in der «Gesellschaft» flottieren, sind die *Vaterfiguren im Buch* auch *Figuren des Väterlichen* – despostische Charaktere, die Kinder unentzifferbar und kaum verständlich finden und mit denen sie schwer reden können.

Sie erscheinen wie Zeichen oder Bilder des Gesetzes, an das man sich nicht direkt wenden kann, weil die Person, auf die sie verweisen, entweder taub für andere ist oder überhaupt nicht da. Als Beschreibung des Gesetzes scheint das sehr vernünftig. In Gesellschaften, die keine absolutistischen Monarchien oder Diktaturen sind, liegt das Gesetz nicht im Körper eines lebenden Menschen. Es ist *geschrieben* – in Dokumenten verankert, die Regeln proklamieren und Strafen vorsehen, wenn diese gebrochen werden.

Dickens' Patriarchat – Lords, Mitglieder des Parlaments und Väter – ist im Großen und Ganzen eine undurchdringliche Gruppe. Einige existieren nur auf Papier und in Buchstabenform. Harmon senior, der stirbt, bevor das Buch beginnt, spricht durch die vielfachen «letzten Testamente» und Kodizille, die er auf seinem ganzen Grund und Boden versteckt hat und deren jedes sein Geld auf eine andere Art verteilt. Es gibt keinen Letzten Willen, kein schlüssiges Wort, nur widersprüchliche Erlasse. Eugene Wrayburns Vater erscheint nur als Akronym, *M. A. H.* (Mein alter Herr). In den imaginären Streitgesprächen, die Eugene mit M. A. H. führt, erdrückt der verinnerlichte Vater den Sohn mit seinen umfassenden Verboten. Twemlow, ein anderer Charakter, hat ebenfalls eine Vaterfigur, den tyrannischen Lord Snigsworth, von dem Veneering bloß einen *Namen* erbittet. Wie M. A. H. taucht Snigsworth nie in Fleisch und Blut in der Geschichte auf. Er wird nur von einem an der Wand hängenden Porträt repräsentiert. Was wir wissen, ist, dass Twemlow, auf Besuch in Snigsworthy Park, unter «eine Art Kriegsrecht» gestellt wird.

Geschriebene Sprache hat immer etwas Gespenstisches – die geisterhafte Stimme, die aus der Seite zu einem spricht –, aber Dickens' väterliche Zeichen sind auch repressiv, launenhaft und sinnentleert. Wenn die Väter sprechen, gebrauchen sie die Sprache eines verrückten Königs auf einer fernen Bergspitze, der Weisungen ausgibt, die die armen Untertanen, von denen erwartet wird, dass sie danach handeln, bloß verwirren. Mit den Vätern gibt es keinen Dialog – das Gespräch verläuft nur in eine Richtung. Man kann leicht verstehen, warum Kafka Dickens so sehr bewunderte. K.'s Wanderungen durch von schmutzigen Bürokraten und unsichtbaren Autoritäten bewohnte fremde Korridore haben einen starken Nachhall von Dickens' verwirrten Kindern, die die mysteriösen despotischen Zeichen zu orten und zu deuten versuchen, die von oben auf sie herabgeschleudert werden. Es sind die Wörter toter Sprachen, die die Realität eher verschleiern als beschreiben. Als Podsnap erfährt, dass in London sechs Menschen verhungert sind, äußert der bürgerliche Patriarch das vertraute Argument, sie wären selber schuld. Twemlow, der bescheidene Fürsprecher der Kinder, widerspricht. Geschwind beschuldigt Podsnap seinen Gast der «Zentralisation». Twemlow schafft es, zu entgegnen, «ihn erschütterten derlei Vorkommnisse jedenfalls mehr als Fremdwörter mit noch so vielen Silben». *Zentralisation* ist ein Wort wie *Freiheit.* Im Mund von Politikern, Bürokraten und Ideologen wird es benutzt, um die Leichen zu verhüllen, die darunterliegen, und die einzelnen Geschichten, die zu jedem dieser verlorenen Leben gehören. Schlimmstenfalls ist diese Sprache nur Geräusch. Das zwanzigste Jahrhundert und das neue Jahrhundert, in das wir nun eingetreten sind, liefern uns zahllose Beispiele von ideologischen Begriffen, die benutzt wurden und werden, um eine Politik von Vernachlässigung und Mord zu verbergen und zu verdrehen.

Wahnsinn

Während Dickens *Unser gemeinsamer Freund* schrieb, gab er auch Lesungen – Veranstaltungen, von denen seine Familie und seine Freunde später meinten, sie hätten ihn überanstrengt und wahrscheinlich seinen Tod beschleunigt. Immer wieder las Dickens, was er und seine Umgebung nur als «den Mord» bezeichneten: Bill Sikes' Mord an Nancy in *Oliver Twist.* «Das ganze Theater starrte mich voller Grauen an, das auch nicht schlimmer hätte sein können, wenn ich gleich hätte gehenkt werden sollen», schrieb Dickens. Es war eine Phase der Desillusionierung, der Traurigkeit und einer bohrenden Leere in seinem Leben. «Was gab es für ihn anderes als die stimulierende Angst der Lesungen», schreibt sein Biograph Edgar Johnson, «und sie wieder aufzunehmen war so, wie wenn Jasper in *Das Geheimnis um Edwin Drood* zu der gefährlichen Erregung seiner Halluzinationen im Rausch zurückkehrte.» Die Lesungen wurden für Dickens eine Art Opium, und er steigerte sich dabei in eine Fiebertrance hochgradiger Aufgewühltheit. Damen sanken in Ohnmacht, Männer rangen nach Luft, und wenn es vorbei war, taumelte der Autor mit tränenüberströmtem Gesicht erschöpft von der Bühne. Er spielte alle Rollen: Fagin, Sikes und Nancy. Als Nancy bettelte und heulte er um sein Leben; als Sikes schlug er sein Opfer erbarmungslos tot. Romane schreiben heißt, pluralisch sein, zwischen seinen Geschöpfen aufgeteilt sein und mit ihnen leiden. Auf der Bühne verlor Dickens sich in seinen Figuren und dem Schrecken dessen, was er las, und nach allem, was man weiß, ging es sehr auf Kosten seiner Gesundheit. In Peter Ackroyds Biographie heißt es, der Autor habe 1869 berichtet, er werde «zurzeit allnächtlich von Mr W. Sikes ermordet», und etwa zur selben Zeit schrieb Dickens in einem Brief an einen Freund: «Ich ermorde Nancy … Wenn ich durch die Straßen gehe, habe ich das unbestimmte Gefühl, ‹gesucht› zu werden.» Dickens' Gebrauch der ersten Person ist bezeichnend, und sei es nur, weil er beweist, dass diese beiden Figuren ihm nahe genug waren, um «ich» zu sein.

Dickens erforschte ständig extreme Zustände von Zerfall, und in *Unser gemeinsamer Freund* schuf er einen Charakter, Bradley Headstone, dessen Zusammenbruch zum Teil wie pathologisches Wiederholen dargestellt wird: der in seinem Geist wie eine stampfende Maschine umhergeisternde versuchte Mord. Die Verbindung zu Dickens' eigenen Darbietungen ist auffallend. Während seine fiktionale Figur Headstone eines Verbrechens schuldig ist, war sein Schöpfer nur der Erfindung und der Empathie für diese Erfindungen schuldig. Dennoch wiederholt Headstone das Verbrechen, nachdem er es begangen hat, in seiner Phantasie immer wieder, genauso wie Dickens nicht widerstehen konnte, seinen Mord wieder und wieder vorzutragen. Ein mit aller Macht imaginiertes Ereignis kann die gleichen Gefühle wachrufen wie ein reales. Dem werden wenige Künstler widersprechen, und doch würden manche Leute es sicherlich seltsam finden, dass bis ins Letzte imaginierte Fiktion etwas verursachen kann, was den Persönlichkeitsspaltungen bei Geisteskrankheiten entspricht. Auflösung in der Kunst ist Auflösung im Wahnsinn vorzuziehen, aber was Freud «Sublimierung» nannte, ist die Transformation von inneren Dramen, Ängsten und Verletzungen in etwas anderes: ein Kunstwerk außerhalb des Körpers des Künstlers. Das gilt für alle Künste, außer für die darstellende Kunst, bei der der Körper das Instrument für die Transformation ist. Es gibt Teile in meinen Büchern, die ich nie laut gelesen habe und nie laut lesen werde – sie sind einfach zu schmerzlich für mich. Ich widersetze mich dem Verkörpern meiner eigenen Worte und Charaktere und halte sie mir lieber auf der Buchseite vom Leibe. Dickens war lange abgeneigt gewesen, «den Mord» vorzutragen, aber nachdem er die entsetzte Reaktion seiner Freunde erlebt hatte, an denen er seine «Lesung» ausprobierte, wurden ihre schockierten Gesichter der Ansporn zum Wiederholen. Bradley Headstone, der wahnsinnige Schulmeister und Verbrecher in *Unser gemeinsamer Freund*, ist *kein* Double für Charles Dickens. Ich möchte etwas ganz anderes vorschlagen: Dickens' Besessenheit von Lesungen liefert einen Einblick in die Persönlichkeit des Schriftstellers und seine pluralischen, komplexen inneren Identifikationen – solche, die sowohl *Ich werde ermordet* wie *Ich morde* einschlossen.

Bei Bradley Headstone ist der Leser mit einem Charakter konfrontiert, der an etwas leidet, was man heutzutage «Psychose» nennen würde. Die Sprache der Psychiatrie hat sich mit den Jahren verändert, und eine Romanfigur zu diagnostizieren ist bestenfalls naiv, aber Headstones Wahnsinn fasziniert mich, weil sie klinische Gegebenheiten verdeutlicht, die bei bestimmten Formen von Geisteskrankheit immer vorkamen. In seinem Buch *Wut und Haß. Über die Bedeutung von Aggressionen bei Persönlichkeitsstörungen und sexuellen Perversionen* erklärt Otto Kernberg: «Es gibt ein tiefes Gefühl des Verlustes oder eine Auflockerung der Identität in der Psychose.» Natürlich drückt *Unser gemeinsamer Freund* insgesamt *ein tiefes Gefühl des Verlustes oder des Verfalls* und *eine Auflockerung der Identität* aus, aber es ist kein psychotischer Text; diese Verluste werden darin verständlich abgehandelt. In seinem erzählenden Bericht über eine Schizophrenie-Patientin namens Catherine schildert Dr. Daniel Dorman, wie sie, nachdem sie fast die ganze Sitzung über eisern geschwiegen hatte, unmittelbar vor dem Ende verkündete: «Ich bin Humpty Dumpty in Stücken, und es gibt keine Möglichkeit, zerbrochene Eierschalen wieder zusammenzufügen. Ich habe Risse.» Catherines Schweigen ist genauso wichtig wie ihre Worte am Ende. Das zersplitterte Ich muss sich verteidigen oder sterben, und Worte, um diesen Zustand auszudrücken, kommen nicht leicht. Mit Bradley Headstone präsentiert Dickens dem Leser einen Mann, dessen vielfacher innerer Aufruhr ihn gewalttätig werden lässt und dann zerreißt.

Headstone leidet an einer radikalen Unverbundenheit zwischen seinem inneren und seinem äußeren Ich, seinen Gefühlen und seinen Worten. Trotz der monströsen Kämpfe, die in ihm stattfinden, ist seine Persönlichkeit als Lehrer langweilig, trocken und gefühllos. Diese Gabelung zwischen innerer Störung und äußerer Abgestorbenheit hat auch eine klinische Dimension. Eine meiner Lieblingsgeschichten über den englischen Kinderarzt und Psychoanalytiker D. W. Winnicott wird von M. Masud R. Khan in seiner Einführung zu Winnicotts Buch *Holding and Interpretation* erzählt. 1971, gegen Ende seines Lebens, hatte Winnicott ein Treffen mit einer Gruppe anglikanischer Geistlicher. Die Frage, die sie ihm stellten, war einfach. Sie wollten wissen, wie man zwischen einem kranken Menschen, der psychiatrische Hilfe brauchte, und einem Menschen unterschied, dem sie mit ihrem Beistand helfen konnten. Dr. Winnicott antwortete nicht sofort, sondern sagte erst nach einigem Überlegen: «Wenn ein Mensch kommt und mit

Ihnen spricht und es Sie langweilt, ihm zuzuhören, dann ist er krank und braucht psychiatrische Behandlung. Hält er jedoch Ihr Interesse wach, egal wie schlimm sein Kummer oder sein Konflikt ist, dann können Sie ihm zuverlässig helfen.»

Brillant ist an diesem Kommentar, dass er eine Wahrheit über viele mental Kranke aufdeckt: Sie sind so vertieft in das, was sich in ihrem Innern abspielt, dass sie wie durch eine Mauer von anderen Menschen getrennt sind; durch diese Schranke sind sie unfähig, sich auf ein echtes Gespräch mit einem anderen einzulassen. Die fehlende Verbindung von Seiten des Sprechenden erzeugt im Zuhörer Langeweile. Headstone ist, wie Podsnap, wie zahllose andere Figuren in dem Roman, von der Sprache als *Kommunikationsmittel mit einem anderen* abgeschnitten. Die Symbole väterlicher Autorität, die Dickens mit solcher Rage anklagt, entlarven sich selbst durch das sprechende Adjektiv, das er benutzt, um die Buchstaben zu beschuldigen: *trocken.* Jeder weiß, was ein trockener Text ist – einer, der Gefühle weglässt, der einen zu Tode langweilt, weil er zu nichts Menschlichem spricht, das Offensichtliche vernebelt oder einfach unverständlich ist.

> … langsam und eintönig berichtet der Erklärer [Headstone] «den lieben Kinderchen» sagen wir einmal zum Beispiel vom Besuch der Schönen in der Krypta und wiederholt das (unter kleinen Kindern weitverbreitete) Wort Krypta fünfhundertmal. Und gibt ihnen nicht den leisesten Hinweis, was es bedeutet.

In dieser Beschwörung von Headstones Pädagogik quetscht Dickens auf typische Weise jede nur mögliche Bedeutung aus dem Wort *Krypta* heraus. Der Leser weiß, dass das Wort Grab,

Behältnis für eine Leiche bedeutet. Der Leser weiß auch, dass das Grab in der Geschichte, die erzählt wird, leer ist, wenn die Frauen eintreffen, der «Besuch der Schönen». Für die Kinder, die die Bedeutung des Wortes nicht kennen, sind die Buchstaben selbst leere Symbole, ein weiterer Wortschwall aus dem Mund ihres Lehrers. *Krypta* verweist auch auf den Unsinn verzapfenden Erklärer, Headstone*, ein Wort, das Schild für die Toten bedeutet, ein bloßer *Name* über der Erde, der auf etwas hindeutet, was einst existierte, was nun aber bloße Fleisch- und Knochenbruchstücke unter der Erde geworden ist. Überdies verhüllen die Lektionen des Schulmeisters, wie das Wort *Zentralisation,* ein «schreckliches Ereignis». Der langweilige Rhythmus seiner eintönigen Belehrungen wird für Headstone der Rahmen, um noch einmal seinen Angriff auf Eugene zu durchleben, den er zu einem blutigen Klumpen geschlagen und für tot liegengelassen hat: «Ob er das Gebet vorsprach, ob er seinen Schülern Kopfrechenaufgaben stellte, ob er ihnen dieses oder jenes erklärte – stets weilte er im Geiste am Ort des Verbrechens und vollbrachte es immer von neuem, aber jedes Mal besser.» Sprache ist ein Firnis, unter dem reine sprachlose Wut liegt.

Headstone ist in einer Tretmühle der Besessenheit gefangen, die ihn zwingt, sein Verbrechen wieder und wieder zu durchleben. Das Wort *mechanisch* wird mehrmals zur Beschreibung des Schulmeisters verwandt, ein Anzeichen für seine zunehmende Ähnlichkeit mit Maschinen und Unbelebtem. Wiederholung ist Bedeutung. Ohne sie gibt es kein Erinnern, kein Wiedererkennen, keine Sprache; aber zwanghaftes Wie-

* dt.: Grabstein. A. d. Ü.

derholen, das keinen Unterschied berücksichtigt, kann auch ein Anzeichen von Krankheit sein. In *Jenseits des Lustprinzips* stellte Freud erstmals den Zusammenhang zwischen Wiederholungszwang und Todestrieb her. In diesem Essay vermerkt er, was alle Eltern wissen: Kinder werden nie müde, dieselben Spiele wieder und wieder zu spielen und die dieselben Geschichten wieder und wieder zu hören, und sind sehr unduldsam gegenüber der allerkleinsten Veränderung. Für Freud ist dieser gierige Appetit auf identische Wiederholung die Art des Kindes, seine Umgebung zu bewältigen, aber im Erwachsenenalter verschwindet der Wunsch danach. Bei seinen Patienten bemerkte er, dass ihr Bedürfnis, Vorkommnisse aus der Kindheit zu wiederholen «das Lustprinzip auf jedwede Art außer Acht ließ». Der Zwang, wieder und wieder auf dasselbe zurückzukommen, war unverhohlen selbstzerstörerisch. In *Unser gemeinsamer Freund* ist Wiederholung ohne Variation sowohl pathologisch als auch todgeweiht. Ein Charakter wie Podsnap, dessen gesamte Existenz in der Routine zusammengefasst ist, «stand [...] morgens um acht auf, rasierte sich eine Viertelstunde später, frühstückte um neun, verfügte sich gegen zehn nach der City, kam von dort nachmittags halb sechs heim und speiste um sieben»; er ist die bürgerliche Ausgabe von Headstones abseitigem Kreisen, *es wieder zu tun.* Der Rhythmus, der keine Veränderung, keinen Unterschied erlaubt, will die Zeit anhalten, und die Zeit anhalten bedeutet Tod. Der Lehrer hat die Möglichkeit einer fortlaufenden Geschichte verloren, weil er im Trauma eines einzigen Augenblicks gefangen ist und sich nie daraus befreien kann.

Headstone ist derjenige, der ein Verbrechen gegen einen anderen begangen hat, nicht das Opfer, aber seine innere

Brutalität hat etwas von beiden Seiten, nicht viel anders als Dickens' Verkörperung von Sikes wie auch von Nancy. «Der Mann war fähig zu einem Mord, und er wusste es. Mehr noch, er suhlte sich mit einer Art perverser Lust darin, wie ein Kranker in einer Wunde an seinem Körper kratzt.» Folterer und Gefolterter nehmen dasselbe psychische Terrain ein. Am Ende hält der Körper des Schulmeisters dem Druck nicht mehr stand und geht aus den Fugen. Er verliert die Kontrolle über seine Bewegungen und leidet unter Krämpfen, Nasenbluten und Ausbrüchen, epileptischen Anfällen, an die er sich nicht erinnern kann und die ihn völlig auslaugen. Er verliert die Kontrolle über seinen Körper im Raum, und seine Amnesie unterbricht jegliches Zeitgefühl. Dickens' Erzählweise entsprechend sind die Verwüstungen dieser explosiven inneren Kriegführung nicht auf Headstone beschränkt. Sie dringen nach außen in das weitere Gemälde des Romans und werden von anderen in Form von Verkleidung, Doppelgängertum und Verwechslung ausagiert. Das ist Dickens' *Schriftlichkeit*, das Träumende, Überdeterminierte an seinem Werk. Einmal losgelassen, ist ein Dickens'sches Thema unaufhaltsam; es breitet sich aus, ergießt sich von einer Figur und einer Geschichte innerhalb der Geschichte in die nächste.

Um das Verbrechen auszuführen, verkleidet Headstone sich als Rogue Riderhood, der «Flussufermann», und in dieser Kleidung scheint er nicht weniger, sondern mehr er selbst: «während er in seinen eigenen Kleidern gewöhnlich aussah, als trüge er die eines andern, sah er jetzt in den Kleidern eines andern so aus, als trüge er seine eigenen». Diese Kleider sind sein «Eigen», weil sie zu dem Verborgenen passen, zum unterdrückten *Anderen.* Das Innere ist nach außen gekommen.

Das Wort *Anderer* wird in dem Roman ein Signal dafür, dass Grenzen wanken und Menschen auseinanderfallen. Riderhood gibt dem Schulmeister den Beinamen «Anderster». Zu dem Namen kommt er durch drei Männer, die er in seinem Geist assoziiert: Lightwood, «Der Herr»; Wrayburn, «Der andere Herr»; und Headstone, «Der anderste Herr», der dann einfach «Der Anderste» wird. «Der Anderste» ist ein passender Name für einen Doppelgänger, aber er beschreibt auch das Extreme von Headstones Position und spielt auf sein Abgleiten in Sprachverwirrung und schließlich *Die andre Welt* an, ein Ausdruck, den Riderhood auch gebraucht – den Ort von Tod und Verfall. Die beiden Männer dienen als Spiegel-Ichs, und dieses Reflexive ist auch eine Form von Konfusion nicht nur der Identität – wer ist wer –, sondern eine Erosion der Linie zwischen Innen und Außen. Als Riderhood den verkleideten Headstone auf einem Kahn vorbeifahren sieht, macht er eine Bemerkung, die ein Echo auf das Spiel mit den Pronomen im gesamten Buch ist: «Hätte nie geglaubt, dass ich so schnieke aussehe.» Ich bin du. Du bist ich.

Vor Jahren erzählte eine Psychiaterin mir eine Geschichte, die ich nie vergessen habe. Bevor sie einen Termin mit einem schizophrenen Patienten hatte, war die Ärztin beim Friseur gewesen und hatte sich ihr langes Haar kurz schneiden lassen. Als der Patient ins Sprechzimmer trat, sah er sie an und sagte schockiert: «Sie haben mein Haar abschneiden lassen!» «Ich» und «Du» vermischen sich in einer Äußerung, die Ich und den Anderen verwechselt und die ein Echo auf Riderhoods ironischen Kommentar ist, in dem das Wort «ich» seinen Doppelgänger bezeichnet. Solche Verwechslungen sind in der Schizophrenie nicht ungewöhnlich, und diese Überlappung ist ein häufiges Thema in der Literatur, wo Doppelgänger, Spiegelbilder und Phantom-Ichs wieder und wieder auftauchen. In seinem berühmten Essay *Der Doppelgänger* brachte Otto Rank das häufige Vorkommen dieses Motivs in der Kunst in Zusammenhang mit dem Spiegelbild und dem Tod, und diese Theorie wird von Dickens nicht widerlegt. Der gespiegelte Doppelgänger ist ein Vorbote von Auflösung, sowohl des Körpers als auch der Wörter. Wenn Bradley Headstone schreit: «Ich bin übergangen worden, und ich bin ausgestoßen worden», hat er das Ende des Wechselgesprächs erreicht – für ihn ist kein Dialog mehr möglich. Als er seinem Ende nahe ist, wird uns vom Erzähler berichtet, Headstone habe «Schwierigkeiten, seine Wörter zu artikulieren». Er stammelt und zögert und bekommt sie nicht heraus. Seine Sprache fällt auseinander, und diese Sprachfragmente weisen, wie die zur Beschreibung des Spiegels bei den Veneerings benutzten Satzfragmente, auf ein Ich in tausend Stücken hin. Es ist so kaputt wie Humpty Dumpty. Riderhood und Headstone, die gespiegelten Ichs, können nicht getrennt bleiben. Sie kämpfen auf den Tod und enden ertrunken im Fluss, und die Glieder ihrer Leichen sind ineinander verschlungen.

Unser gemeinsamer Freund dreht sich um diese Beziehung zwischen dem Ich und dem Anderen. Die Spiegelung zwischen beiden kann krank und verwirrt sein oder stärker selbstbestimmt und gesund, aber der Roman sieht nie von dieser Dialektik ab. Wird die Beziehung abgeschnitten, verschwindet das Ich. Die Eingesperrten, Isolierten und Unerkannten gehen unter. Für mich ist das eine einfache menschliche Wahrheit, eine, die Dickens gründlicher und mit größerer Subtilität als jeder andere Schriftsteller, den ich kenne, ausbreitet. Obwohl ich mich nie für «Lesarten» von Büchern durch die Linse dieser oder jener Philosophie oder Methode interessiert habe, so ist nicht von der Hand zu weisen, dass sich in der Geographie des Ich und des Anderen, die Dickens in *Unser gemeinsamer Freund* aufzeichnet und in der Spiegelung und Rolle der Sprache abgehandelt werden, starke Anklänge an Ideen der Psychoanalyse und der Neurobiologie finden lassen, die Antworten auf Grundfragen der menschlichen Identität suchen.

Winnicott, der Lacans Essay über das Spiegelstadium bei seinem Erscheinen im Jahr 1949 las, verankerte die Idee der Spiegelung in seiner klinischen Praxis in der Beziehung zwischen Mutter und Kind. Das Kind erkennt sich im antwortenden Gesicht seiner Mutter. Diese Dialektik weist eine enge Verbindung auf zu folgendem Kommentar in Allan Shores Buch *Affect Regulation and the Origin of the Self: The Neurobiology of Emotional Development*: «Das von dem primären Versorger vermittelte frühe soziale Umfeld hat unmittelbaren Einfluss auf die Evolution von Strukturen im Gehirn, die für die spätere sozio-emotionale Entwicklung des Kindes verantwortlich sind.» Anders gesagt, der alte Dualismus zwischen Anlage und Erziehung wird in Frage gestellt. Das Außen wird ebenfalls Ich. Ein Mensch wird als unfertiger Organismus geboren, und während er sich entwickelt, wird die Erfahrung mit anderen eine körperliche Realität. Das Ich und das Du sind nicht so säuberlich getrennt, wie die Kultur gerne glauben möchte.

Sprache spielt in unserer Entwicklung eine wesentliche Rolle, und die Hirnforschung hat wissenschaftlich nachgewiesen, was Linguisten wie Benveniste lange vorher in ein System gebracht hatten. G. Rizzolattis Beobachtungen an Affen führten zu der Entdeckung einer Klasse von Neuronen, die er

«Spiegelneuronen» nennt. Diese werden im Gehirn von Affen nicht nur dann aktiviert, wenn sie bestimmte Handlungen, wie Fassen oder Ziehen, ausführen, sondern auch dann, wenn sie die gleichen Handlungen bei einem anderen Affen beobachten. Obwohl Rizzolatti es nicht erwähnt, scheint dies eng mit dem *Transitivismus* genannten Phänomen bei Kindern zusammenzuhängen. Einfach ausgedrückt: Wenn ein Kleinkind hinfällt und anfängt zu weinen, beginnt das Kind, das den Sturz beobachtet hat, ebenfalls zu schreien. In seinem 1998 veröffentlichten Aufsatz «Language Within Our Grasp» belegen Rizzolatti und seine Kollegen, dass ein gleichartiger neuronaler Ablauf beim Menschen in der linken Hirnhälfte stattfindet und dass diese spiegelnde Aktivität die Grundlage für Sprache bildet: «Die Entwicklung der Fähigkeit des Beobachtenden, sein oder ihr Spiegelsystem zu kontrollieren, ist die entscheidende Voraussetzung dafür, (willentlich) ein Signal von sich zu geben. Wenn dies geschieht, ist ein primitiver Dialog hergestellt. Dieser Dialog bildet den Kern der Sprache.» Spiegeln macht Sprechen möglich; Sprache beruht auf der spiegelnden Eigenschaft von *Ich* und *Du*, wodurch verbale Interaktion möglich wird.

In *Descartes' Irrtum* schlägt Antonio Damasio vor, das, was wir das Selbst nennen, sei ein Repräsentation unseres Organismus, die im Gehirn ständig regeneriert wird: «Das Selbst ist ein wiederholt rekonstruierter biologischer Zustand», und was er als *Subjektivität* bezeichnet, ist ein anderes *Bild* oder eine *Repräsentation* «eines Organismus beim Wahrnehmen und Reagieren auf ein Objekt». Damasio sagt es nicht ausdrücklich, aber diese innere Repräsentation oder dieses Bild im Gehirn, das er als Subjektivität beschreibt, ist dialektisch – *das Bild einer Beziehung.* Er beschränkt sie nicht auf die Beziehung zwischen «Ich» und «Du», sondern schließt alle äußeren Objekte mit ein. Damasio ist weniger an der Rolle der Sprache in der Subjektivität interessiert und schlägt eine nonverbale Erzählung für das Selbst vor. Er schreibt jedoch: «Sprache ist womöglich nicht die Quelle des Selbst, aber sie ist mit Sicherheit die Quelle des ‹Ich›.» Ich glaube nicht, dass das Selbst in Sprache konstituiert ist, sondern, dass Sprache eine entscheidende Rolle für die Wahrnehmung und die Erinnerung spielt und sich notwendigerweise mit einer individuellen menschlichen Erzählung vermischt. Elizabeth Bates, die an der University of California in San Diego Sprache und Gehirn erforscht hat, stellt eindeutig fest: «Die Erfahrung von Sprache trägt dazu bei, die Form und Struktur des erwachsenen Gehirns zu erschaffen.»

«Es gab gar kein Ich mehr»

Weggs labiles, nekrotisches *Ich* spiegelt eine Sorge, die er genauestens auszudrücken vermag: «Ich würde es unter solchen Umständen nicht gern sehn – ja ich gestehe offen, dass ich's wirklich nicht gern sähe –, wenn ein Teil von mir hier und ein andrer dort wäre. Ich möchte mich vielmehr sammeln, wie sich's für einen anständigen Menschen gehört.» Mr Puppel, eine Nebenfigur im Roman und ein tattriges Trinkerwrack, kann sich überhaupt nicht sammeln. Sein *Ich* ist nicht woanders, wie das von Wegg. Es ist gänzlich verschwunden. «Umstände, über die ich keine Gewalt hatte», stammelt er mehrfach und, zur dritten Person Zuflucht nehmend: «Armer zerrütteter Krüppel. Belästigt niemand lange.» Getreu der Logik des Buchs spricht der Erzähler von Puppel als von *es*, nicht *er*. Und wie Headstone hat Puppel etwas Mechanisches: «Sogar das Atemgeräusch des Säufers wirkte abstoßend, es klang wie das Rasseln eines zerbrochenen Uhrwerks.» Puppels *Ich* ist im Untergrund, vergraben zusammen mit seinem wahren Namen, Cleaver, noch so ein Wort von vielen, die Schneiden und Zerstückeln suggerieren. Mr Puppel ist ein Spitzname, den Eugene Wrayburne ihm gegeben hat, weil die Tochter des Wracks «die Puppenschneiderin» Jenny Wren ist. Mr Puppels erste Person Singular ist im Suff ertrunken, und ohne sie kann er eine andere Person nicht direkt ansprechen. Puppel ist ein Erwachsener, der sich verhält wie ein Kind. Seine Tochter Jenny nennt ihn nie «du» oder «Vater». Sie zieht das infantile und zutreffendere «Böser Bub» vor. Kleine Kinder sprechen von sich selbst oft in der dritten Person, bevor sie das geheimnisvolle Fließen des *Ich* beherrschen, und Dickens' Roman geht unheimlich einfühlsam mit diesem Pronomen um. Auf keiner Seite ist das *Ich* je selbstverständlich.

Wie lebt eine Person ein kohärentes Leben mit einem stabilen Selbst, was immer das sein mag? *Unser gemeinsamer Freund* schlägt einen Weg zu einem ganzen – mehr oder weniger ganzen – Selbst vor, nämlich durch Erinnern, Spiegeln, Erkennen, Dialog und schließlich Erzählen und Fiktion. Als Bindegewebe der Zeit ist Erinnern bestimmt wesentlich für die innere Erzählung, die wir uns schaffen. Als ich 1983 wegen Migräne im Krankenhaus war, lag ich auf der Neurologie des Mount Sinai Hospitals einer Frau gegenüber, die einen schweren Schlaganfall erlitten hatte. Sie sprach kaum und nur in Bruchstücken. Ihr Mann kam sie täglich besuchen, aber sie hatte die Fähigkeit verloren, ihn zu erkennen. Sie war eine zähe alte Dame, die sich aus den Fesseln befreite, mit denen die Schwestern sie jeden Abend fixierten, aber sie hatte kein Selbst, das von einem Augenblick zum nächsten vorhanden war – keine Geschichte im Zeitablauf. Das war verschwunden. Vor einigen Jahren wandte sich eine Frau an meinen Mann und erzählte ihm die Geschichte ihres Mannes, eines begabten Komponisten und Musikers, dessen Erinnerung durch Meningitis zerstört worden war. Er führte ein Tagebuch, in das er Aberhunderte Mal denselben Schrei eintrug: «12:00. Wo bin ich? 12:01. Wo bin ich? 12:02. Wo bin ich?» Und so weiter, und so weiter. Im Albtraum ewiger Wiederholung gefangen, war er unfähig, eine Minute mit der anderen zu verknüpfen, hatte in diesen Einzelmomenten aber genügend Ichbewusstsein behalten, um seine Desorientierung zu spüren. Man kann sich kaum eine schlimmere Misere vorstellen als ein Leben in einem Zustand ununterbrochener Qual ohne jeden Kontext dafür. Für diesen Mann hatte die Zeit jegliche Bedeutung verloren.

Einer der bewegendsten Berichte über den Kampf eines Mannes, eine stetige Identität zurückzugewinnen, findet sich in A. R. Lurijas Buch *Der Mann, dessen Welt in Scherben ging.* Lurijas Patient Sassezki war im Zweiten Weltkrieg verwundet worden. Granatsplitter zerstörten den linken Scheitelhinterlappenbereich und hinterließen bei ihm eine schwere Amnesie und Aphasie. Sein Sehfeld wurde zerstört, und er hatte große Schwierigkeiten bei der Objekterkennung, und selbst wenn er sie erkannte, konnte er sie oft nicht benennen. Er verlor auch die Wahrnehmung und das Gefühl für seine rechte Körperhälfte, litt unter schweren Körperfehlwahrnehmungen und entdeckte zu seinem Entsetzen, dass er nicht mehr lesen konnte. Trotz seiner enormen Behinderung lernte er das Alphabet neu und erlangte wieder einen gewissen Grad von Lesefähigkeit. Bemerkenswerterweise war er noch imstande zu schreiben – vor allem, wenn er die Hand nicht vom Papier hob. Obwohl er ungeheure Schwierigkeiten hatte, sich an das zu erinnern und das zu lesen, was er geschrieben hatte, notierte er Erinnerungen und Erlebnisse aus seinem Leben. «Es ist deprimierend», schrieb er, «noch einmal ganz von vorn anzufangen und aus einer Welt klug zu werden, die man durch Verletzung und Krankheit eingebüßt hat, diese Scherben zu einem kohärenten Ganzen zusammenzufügen.» Sassezki hielt sich an der Vorstellung eines Ganzen fest und arbeitete zäh daran, trotz der einschüchternden Dimension seiner Aufgabe, aus seinen Erinnerungen Bedeutung zu erschaffen, aber beide, sein Arzt Lurija und Sassezki selbst stellen klar, dass die bruchstückhafte Realität seines Alltagslebens sich mit der Zeit nicht verbesserte. Er arbeitete bis zu seinem Tod an dem Projekt.

Anders als andere Schlaganfallpatienten war Sassezki sich dessen, was mit ihm geschehen war, schmerzhaft bewusst. Sein Ichbewusstsein war unversehrt geblieben. Er hatte ein erkennbares Selbst, aber es war in Stücken. Karen Kaplan-Solms und Mark Solms schreiben in ihrem Buch *Klinische Studien in Neuro-Psychoanalyse* über eine Patientin mit Wernicke-Aphasie, eine Frau, die wie Sassezki sich ihres Leidens genauestens bewusst war. «O ja», wird Mrs K. zitiert, «ich bin in Scherben. Mein ganzer Geist ist in Scherben.» Diese krankhaften «Scherben» und der Versuch, sie *durch Sprache* wieder zu einer kohärenten Struktur zusammenzubauen, bilden ein starkes Echo auf das zentrale Drama in *Unser gemeinsamer Freund.*

In der Themse zu ertrinken oder fast zu ertrinken bedeutet, in einen beängstigenden zerbrochenen Raum einzudringen, der rutschige Ränder hat und in dem Dinge und Körper nicht voneinander unterschieden werden können, ein Ort, der metaphorisch mit der Epilepsie bei Headstone und dem Delirium bei Eugene Wrayburn verbunden ist. Nachdem Eugene von Lizzie aus der Themse gerettet wurde, berichtet uns der Erzähler, sein Gesicht sei so verschandelt, dass seine eigene Mutter ihn nicht wiedererkannt hätte. Eugenes Äußerungen im Fieber, während er bewusstlos ist, werden mit «dem häufigen Wiederauftauchen aus der Tiefe eines Ertrinkenden» verglichen. Doch dann, in einem klaren Moment, sagt er: «Wenn du merkst, dass ich abirren will von diesem unverdienten Zufluchtsort, dann nenne mich bei meinem Namen, und ich glaube, ich werde dableiben.» Dieses Rufen eines Namens ist ein Echo auf Mr Venus' Tour durch seine zusammengefügten Körper und hat wiederum eine Parallele in der klinischen Praxis. In *Zeit des Erwachens* beschreibt Oliver Sacks, was er «luzide Intervalle» nennt:

> In solchen Momenten ist der Patient – trotz des Vorhandenseins massiver funktionaler oder struktureller Störungen im Gehirn – plötzlich vollständig wiederhergestellt. Das lässt sich immer wieder auf dem Höhepunkt toxischer, fiebriger oder anderer Delirien beobachten: Manchmal kann eine Person zu sich selbst zurückfinden, indem man ihren Namen ruft; dann ist sie einen Augenblick oder einige Minuten lang sie selbst, ehe sie wieder in das Delirium davongetragen wird.

In *Unser gemeinsamer Freund* ist der Akt, jemanden bei seinem Namen zu rufen, von der gleichen wiederherstellenden Magie umgeben, einer Magie, die zumindest zeitweilige Kohäsion verspricht. Weil ein Eigenname in der Sprache der symbolische Sitz des Selbst ist, ist er der linguistische Marker für eine kollektive, nicht private Realität. Als solcher dient er als ein Weg aus Bewusstlosigkeit oder, in den Worten des buchstäblichen und metaphorischen Ertrinkens im Buch, als ein Weg *nach oben* an die Oberfläche und von dort *hinaus* zu anderen Menschen. Ein Wort ist von einem visuellen Bild in uns grundverschieden, weil wir uns, wenn wir sprechen, selbst hören. Wenn ein Wort die Körpergrenze überschreitet, ist es zur gleichen Zeit buchstäblich in uns und außerhalb von uns. Die Namen, die unsere Eltern uns gaben, kennzeichnen uns fürs Leben und liefern ein Zeichen von Kontinuität, das ein ungleiches Paar zusammenspannt: das Kleinkind und den alten Menschen. Namen sind mächtig, und Sacks hat recht: Ihr Aussprechen kann einen zurückbringen oder wachhalten.

Nach meinem Autounfall sah ich sofort nach, ob ich noch ganz sei, und entdeckte wunderbarerweise, dass ich unversehrt war. Trotzdem erstarrte ich. Ich regte mich nicht. Ich glaube, ich hätte es gekonnt, aber ich tat es nicht. Ich wusste, dass mein Mann und meine Tochter es geschafft hatten, auf der anderen Seite auszusteigen, und ich muss erleichtert darüber gewesen sein, dass sie in Ordnung waren, aber ich erinnere mich nicht, es gefühlt zu haben. Stattdessen fühlte ich mich vollkommen leer, sehr, sehr ruhig, und nach einer Zeit – keine Ahnung, wie lang sie war – ließen meine Augen nach, alles wurde grau, und ich fühlte mich untergehen. Dann, wie durch Zauberei, war da ein Mann, der mich ansprach. Er griff von der Seite durch die zerbrochene Scheibe, legte seine Hände auf mein Gesicht und sagte mir, ich solle meinen Hals nicht bewegen. Ich erinnere, dass er sagte, er sei Sanitäter und sei zufällig vorbeigekommen und habe den Unfall gesehen. «Ich verliere das Bewusstsein», sagte ich zu ihm. «Wie heißen Sie?», fragte er. Ich sagte ihm meinen Namen. «Welcher Tag ist heute?» Ich sagte es ihm. Er fragte mich noch einmal nach meinem Namen, und ich sagte ihn ihm noch einmal. Ich bin überzeugt, dass dieser einfache Dialog, verbunden mit der stabilisierenden Berührung seiner Hände, mich bei Bewusstsein hielt, bis die Feuerwehr kam.

Eugene wird mehrfach von Lizzie zurückgerufen, aber in seinem halbbewussten Gemurmel scheint er ein anderes Wort zu suchen, das er nicht finden kann. Jenny Wren liefert es Mortimer Lightwood, der es an Eugene weitergibt. Das Wort heißt *Ehefrau.* Eugenes Bewegung verläuft von einer nicht erkennbaren Fast-Leiche, einem Nicht-Ich, zu einer mit Namen genannten und identifizierten Person, die zu anderen Menschen gehört. Genau die gleiche dreifache Bewegung geschieht mit zwei kurzen Sätzen, die Lucy Manette in *Eine Geschichte aus zwei Städten* spricht. Eine Tür wird geöffnet, davor steht die gebrochene Gestalt eines Mannes, eines Mannes, der jahrelang in der Dunkelheit einer Zelle im Turm geschmachtet hat, eines Mannes, der sein vorheriges Leben und seinen eigenen Namen vergessen hat, eines Mannes mit einer vom Nichtgebrauch so dünnen Stimme, dass sie «wie eine Stimme unter der Erde» klingt. Als Lucy diesen zerstörten Menschen erblickt, sagt sie zuerst: «Es macht mir Angst», und dann, kurz darauf: «Ich meine, er, mein Vater.» Die Dickens'sche Verschiebung von *es* zu *er* geht noch einen dritten Schritt und schließt *mein Vater* ein. Wie *Ehefrau* drückt *Vater* eine menschliche Beziehung aus, und durch dieses gesprochene Band beginnt ein Prozess der Rückbesinnung und Rückgewinnung. Das ist die im Buchtitel angekündigte *Gemeinsamkeit.* Die Worte *Unser gemeinsamer Freund* gehen über eine Dualität hinaus. Sie beziehen mindestens drei Menschen ein.

Ein entscheidender Augenblick tritt ein, als John Harmon versucht, die Geschichte seines eigenen Beinahe-Todes zusammenzustückeln, eine Geschichte, die vor dem Beginn des Romans stattfand; danach hat er einige Zeit ein schmerzliches Leben unter einem Pseudonym geführt. «Der unter Lebenden spukende Geist eines längst Verstorbenen könnte sich nicht einsamer, verlassener und ausgestoßener fühlen als ich.» Als Sohn eines strafenden, aber unschlüssigen Vater und einer seit langem verstorbenen Mutter, führt Harmon eine gespenstische Grenzexistenz, weil er nicht gewillt ist, seinen rechtmäßigen Namen zu beanspruchen, indem er den Letzten Willen seines Vaters akzeptiert. Er kann nicht in eine Familie zurückgerufen werden. Er kehrt «in meinem Geiste geteilt und mit Angst vor *mir selbst*» nach England zurück. Das Selbst, das er fürchtet, ist in seinem Doppelgänger Radfoot verkörpert, einem Mann, mit dem er an Bord des Schiffes, das ihn nach Hause bringt, verwechselt worden war. Headstones innere Teilung mündet in den Tod. Harmon ertrinkt fast, doch schließlich schafft er es, sein zerrissenes Sein wiederzuvereinen. Sein Monolog steht am Anfang dieser Rekonstruktion:

> Jetzt aber verwirren sich die Eindrücke auf eine kranke, ich möchte sagen gestörte Weise; allein, sie waren so stark, dass ich mich auf sie verlassen kann. Allerdings liegen Zeitspannen dazwischen, deren Dauer sich schwer abschätzen lässt.

Der zeitliche Ablauf der Geschehnisse lässt sich nachträglich also leider nicht mehr so genau bestimmen.
Ich hatte ein paar Schlucke Kaffee getrunken, als Radfoots Gestalt für meinen optischen Wahrnehmungssinn plötzlich ins Riesenhafte zu wachsen begann ... Wir gerieten in ein Handgemenge dicht bei der Tür ... Ich sank zu Boden. Wie ich so hilflos auf dem Rücken lag, wurde mein Körper durch Fußtritte gegen den Bauch herumgewälzt ... Ich sah eine Gestalt, die mir selbst glich, in meinen Kleidern auf dem Bett liegen. Dann wurde das lautlose Schweigen, das ebenso gut Stunden wie Tage oder Wochen, Monate und Jahre gedauert haben mochte, von den Geräuschen eines erbitterten Ringkampfes unterbrochen, den Männer vollführten, die im Raum herumtaumelten und -torkelten, über mich wegstolperten, auf mich traten und fielen. Soviel ich erkennen konnte, war die mir ähnliche Gestalt, in deren Händen sich meine Reisetasche befand, bei diesem Kampf den Angriffen der Übrigen ausgesetzt. Dann vernahm ich ein Geräusch, ähnlich dem von Schlägen, und meinte, es rühre von Holzhauern her, die einen Baum fällten. Ich hätte nicht meinen Namen sagen können, ja, ich wusste ihn nicht einmal mehr, und meine Denkkraft hätte nicht ausgereicht, mich seiner zu erinnern; aber der Klang jener Schläge weckte in mir nebelhafte Vorstellungen von Holzhackern mit Äxten in einem dunklen Wald, in dessen finsterstem Grunde ich bleischwer lag.
Ist das alles richtig? Goldrichtig, mit Ausnahme dessen, dass ich eigentlich nicht ICH sagen dürfte, denn streng genommen gab es gar kein Ich mehr.
Erst nachdem dieser durch eine Art von Röhre abwärts-

gerutscht war und Prasseln und Knistern wie von einem hell lodernden Feuer, nur mit viel größerer Lautstärke, an mein Ohr gedrungen war, wurde mir bewusst, Es ist John Harmon, der ertrinkt! Kämpfe um dein Leben, John Harmon! John Harmon, rufe den Himmel an und rette dich! Ich glaube, mein Mund schrie diese Worte in höchster Todesangst laut hinaus. Dann verschwand ein unerklärliches, schweres, grässliches Etwas, und ich war es, der ich allein im Wasser kämpfte!

Harmons Erinnern ist eine gequälte *Rück-Besinnung* auf die Ereignisse, die zu seinem Fast-Ertrinken führten, bei dem er sich selbst als Subjekt der Geschichte verliert, die er so dringend erinnern möchte: «Es gab gar kein Ich mehr.» In dem Monolog kommen wieder Bilder von Holz und von Zerstückeln vor und ein seltsames Rutschen durch «eine Röhre», kurz bevor er das Bewusstsein wiedererlangt. Zuerst ist Harmon geteilt zwischen der gespiegelten *Gestalt, die mir selbst glich* (Radfoot) und dem *Ich.* Nach dem geburtartigen Rutschen durch die Röhre kehrt sein Name zu ihm zurück, doch er ruft sich selbst an, als wäre er *jemand anderes,* und spricht diesen anderen mit *Du* an: «Kämpfe um *Dein* Leben!» Erst als er sich selbst als anderen, als ein einzelnes, bestimmtes ganzes Wesen erkannt hat, verschwindet die Leiche, und er ist imstande, die erste Person und seine eigene Geschichte zu übernehmen. Damit das Selbst existiert, muss es imstande sein, sich selbst als Anderen, als Spiegelbild zu repräsentieren, und erst das Erkennen dieses ganzen Selbst gebiert das Subjekt.

Die Angst vor Ansteckung, die Dickens' Reisender vor der in seiner Phantasie ständig wiederkehrenden Leiche hat,

hat sich in Harmons Rede zur Panik vor völliger Auslöschung gesteigert. Das schauderhafte Gewicht, das unter Wasser verschwindet, ist nicht mehr «ich» oder «du», sondern «es» – das Nicht-Ich oder nicht mehr Ich, nicht mehr ein *Anderer*, sondern ein *Anderster*. Harmons Rede ist der Bericht eines Mannes, der versucht, durch Erinnern zu sich zu kommen, obwohl sein Gedächtnis durch die Verzerrungen der Halluzination getrübt und voller Löcher aus der Bewusstlosigkeit ist. Das Erzählen nimmt die Form eines inneren Monologs an, in dem der Sprechende sich selbst befragt. «Ist das alles richtig? Wie bei Sassezkis Bedürfnis, die Bruchstücke des Lebens auf Papier zu dokumentieren, arrangiert Harmon Teile der Vergangenheit, um trotz seines labilen Geisteszustands eine Art Ordnung zusammenzufügen. Mit Drogen betäubt, geschlagen, zeitweilig bewusstlos und dann über Bord ins Wasser geworfen, gibt Harmon zu, dass seine Reflexionen «gestört» sind. Er hat diese kranken Eindrücke oder Erinnerungen eine Zeit lang mit sich herumgetragen, und sie zu erinnern ist nicht genug; es ist das Erzählen oder Zusammenstückeln, das therapeutisch ist und schließlich wieder eine Identität zusammensetzt.

Es ist wichtig zu betonen, dass das Fehlen einer kontinuierlichen Selbsterzählung nicht nur pathologisch ist – als Ergebnis von psychotischen Durchbrüchen, Hirnschäden, Drogen oder Nahtoderfahrungen. Zum normalen Leben gehört, dass man aus Erinnerungsfetzen klug wird. Wie Henry Adams in *The Education* schreibt: «Seine Identität, wenn man einen Haufen unverbundener Erinnerungen so nennen kann, scheint erhalten zu bleiben; aber sein Leben wurde noch einmal in Einzelteile zerbrochen.» Wir alle sammeln diese Teile durch Selbstbild, Erinnerung und Sprache wieder und wieder ein. Ich habe lange eine Kluft zwischen meinen inneren Erinnerungen und meinen Erzählungen darüber empfunden. Meine eigenen Erinnerungen erscheinen gewöhnlich als Bilder, vielleicht von einem Satz oder Sätzen begleitet, die ein anderer oder ich sprechen, Augenblicke, die sich aus dem einen oder anderen Grund in meinem Kopf festgesetzt haben, aber es bleiben verschwommene Flecken oder große Lücken übrig. Noch eine Leichen-Geschichte soll als Illustration dienen. Ich erinnere mich daran, wie ich 1986 in Peking Mao Tse-tungs konservierten Leichnam gesehen habe. Ich habe ein Bild des wächsernen toten Mannes im Kopf, aber es ist nicht mehr vollständig, und ich kann mich nicht genau erinnern, wie er oder vielmehr *es* aufgebahrt war. Es war eine eigenartige Erfahrung, aber keine zum Fürchten. Dazu sah die Leiche zu unwirklich aus. Ich habe einen visuellen Eindruck der Leute um mich herum – meine Schwestern, Freunde, unsere chinesische Führerin und andere, die in der Schlange warteten –, aber sie haben keinen exakten Umriss. Ich erinnere mich jedoch genau, dass mein Freund Eric zu mir sagte: «Warum stehen Hunderte von Leuten stundenlang an, um seine Leiche zu sehen?» Ohne nachzudenken, antwortete ich: «Sie wollen sich vergewissern, dass er *wirklich* tot ist.» Unsere Führerin, die während der Kulturrevolution ein erniedrigendes, schmerzvolles Exil erlebt hatte, musste lachen und klopfte mir vor Erheiterung auf den Rücken. Ich erinnere mich an das Gefühl, wie ihre Hand unten auf mein Rückgrat schlug, aber ihr Gesicht könnte ich Ihnen nicht mehr beschreiben. Wenn ich die Geschichte erzähle, verlasse ich mich jedoch auf den Kontext des Erlebnisses und die Sprachkonventionen, auf die Syntax, um die Erinnerungsfetzen in eine Erzählung zu verwandeln, die etwas viel Ganzheitlicheres darstellt als die verschiedenen Bilder in meinem Gehirn. Nachdem ich die Geschichte mehrmals erzählt hatte, begann das Erzählen die Bilder zu ersetzen. Ich hatte *gelernt*, wie ich sie erzählen musste, und meine Erzählung dieses kleinen Vorfalls hat eine Stabilität bekommen, die meine wirklichen Erinnerungen nicht haben.

Interessanterweise tritt diese Festigkeit nur durch die Aufgabe ein, die Geschichte an einen anderen weiterzugeben. Erinnerungen, die nie erzählt wurden, sind keine soliden Geschichten; sie sind potenzielle Geschichten. Es kann vorkommen, dass der Gesprächspartner das Selbst ist, wie in John Harmons Monolog, doch es ist immer das Selbst in Verbindung mit der Vorstellung eines Anderen; das «Ich», das zu einem «Du» spricht, denn der Wunsch zu erzählen bedeutet, dass die Erzählung für einen Zuhörer verständlich werden muss. Sassezki schrieb sowohl für sich selbst als einen Anderen wie für wirkliche Andere. Er hoffte, seine Beschreibungen seiner Krankheit würden für die, die Hirnschädigungen erforschten, von Nutzen sein, und darin triumphierte er: Sein Schreiben hat sich für Forscher als unschätzbar erwiesen. Ebendieses Dialogische am Sprechen und Geschichtenerzählen reklamiert Dickens als *lebendige,* nicht *tote* Sprache. Durch sein Erzählen erlangt Harmon das *Ich* wieder, das Headstonne verliert. Das einzige Mal, dass Mr Puppel das Wort *Ich* sagt, ist, wenn er Eugene Wrayburn um ein paar Pence bittet, um sich etwas zu trinken zu kaufen. Wie mitleiderregend Puppels Bitte auch sein mag, hat er gleichwohl einen echten Dialog aufgenommen und bekommt eine Antwort. Einen kurzen Augenblick lang hat er sich auf der Diskurs-Achse situiert und tritt als Subjekt in Erscheinung.

Harmons vollständige Rehabilitierung wird später im Roman kommen. Mrs Boffin, die als Ersatzmutter für Harmon diente, als er klein war, hat in der heruntergekommenen Villa, wo der Junge mit seiner Schwester aufwuchs, sonderbare Visionen von Gesichtern. Eines Abends sieht sie überall welche: «Einen Moment lang war's das Gesicht des alten Mannes, dann verjüngte es sich, schien einen Moment lang das der beiden Kinder zu sein und wurde dann wieder älter. Einen Moment lang war es ein fremdes Gesicht, und dann war es auf einmal alle Gesichter.» Das fremde Gesicht gehört dem gespensterhaften Helden des Romans, und als Mrs Boffin diese Leerstelle ausfüllt, holt sie den unerkannten Geist von den Toten zurück und ist imstande, ihn bei seinem Namen zu nennen. Sie situiert ihn auch in einer Erzählung, die über ihn hinausgeht, die seinen Vater einbezieht und Bilder mit generationeller Ähnlichkeit, die Eltern und Kinder in einer Spiegelsicht im Zeitablauf verknüpfen.

Die Magie der Fiktion

Der Roman zeichnet einen Verlauf auf, der sich vor- und zurückbewegt zwischen dem unkenntlichen, ungenannten, bewusstlosen Niemand zu dem kenntlichen Jemand, der ein bewusstes sprechenden Subjekt ist. Wir alle legen einen Weg zurück, der vom relativ unbewussten und bruchstückhaften Zustand der Kindheit zu einem funktionierenden verinnerlichten Selbstbild und zu einem bewussten, gegliederten «Ich» innerhalb der Sprachstrukturen führt. Niemand hat tatsächlich Erinnerungen an ein intrauterines Leben oder an die frühe Kindheit, aber wir haben diese Erfahrungen trotzdem gemacht, und Spuren aus dieser schwebenden, undifferenzierten Welt bleiben in uns und suchen uns sogar im Alltag heim: in Furcht und Angst, in Sehnsüchten, beim Sex, im Schlaf und als namenlose Sorgen. Sie ist Teil eines uns größtenteils verborgenen körperlichen Lebens, und nichts ist dieser frühen Erfahrung ferner als der Versuch, diese Realität oder irgendeine Version davon in das Schreiben einzuschreiben. Und doch glaube ich, dass es das war, wohin es Dickens zog, zu diesem bruchstückhaften, ungeformten Raum, oder woran ich oft als das *Darunter* gedacht habe. In Halluzinationen, in Psychosen, bei verschiedenen Formen von Hirnschäden, in Träumen und in manchen Augenblicken künstlerischen Schaffens scheint das Darunter brüllend an die Oberfläche zu treten: Ganze Bilder zerfallen, und die Zeit ist unterbrochen. Diese Geschichte, die wir das Selbst nennen und als *Ich* artikulieren, sagt uns Dickens, ist geladen und brüchig, und wir müssen kämpfen, um sie zusammenzuhalten.

Die menschliche Erfahrung der Welt ist nicht unmittelbar, sondern durch das vermittelt, was Wegg das «Gerüst der Gesellschaft» nennt. Dieses Gerüst ist unvermeidlich und notwendig, aber seine Ausprägungen können auch als die ordnenden Fiktionen gesehen werden, die das Leben erträglich machen. Beides, vollständige Objektrepräsentationen im Gehirn, die die Dinge im Raum organisieren, und Sprache, die dieses Material durch abstrakte Symbole der Reihe nach neu ordnet, dienen als innerer Schutzschild gegen den Angriff von Reizen aus der realen Welt. Sie versehen uns mit Kategorien, die die Grenzen der Wahrnehmung erzeugen und der äußeren Realität durch Erwartung Gestalt und Sinn geben – eine Wahrheit, die viele Künstler, Philosophen, Linguisten und Psychologen seit langem intuitiv wussten. Ohne diese Schutzschilder wären wir unfähig, die innere Repräsentation eines Selbst zu entwickeln. Hirnforscher haben diese beiden dynamischen Strukturen lokalisiert, die räumliche in der rechten Hirnhälfte, die audioverbale in der linken Hirnhälfte; was ich jedoch faszinierend finde, ist, dass Dickens einen flüchtigen Eindruck von dem gehabt zu haben scheint, was die Welt ohne diesen Schutz sein würde, jene bruchstückhafte, ungeformte Realität, die wir als Kleinkinder erfahren haben müssen, bevor unser Gehirn jenes äußere «Zeug» in Dinge und Wörter strukturierte. Es scheint offensichtlich, dass unsere Gehirne zwar einander gleichen, aber auch einzigartig sind, weil unsere genetischen Identitäten und persönlichen Geschichten alle unterschiedlich sind. Anders gesagt, manche Menschen sind empfindlicher für Reize als andere. Sie spüren, was in ihnen und außerhalb von ihnen geschieht. Dickens war einer von ihnen. Er verstand oder spürte vielmehr, was Karen Kaplan-Solms und Mark Solms mit Worten beschreiben, die wie ein Echo auf die von Dickens klingen: «Aus subjektiver Sicht erzeugt ein Zustand erregter Gereiztheit, in dem der Organismus gleichermaßen auf alle Stimuli reagieren muss, zwangsläufig eine Ich-Fragmentierung oder -Auflösung.»

Wir sind ständig dabei, *Es* in gegliederte Gerüste einzupassen, die das Leben erträglich machen, aber manchmal misslingt diese Integration, wenn der Knochen, wie Mr Venus sagt, in keiner Weise passen will. Ich denke an diese Momente oder Zustände als an Löcher in der Struktur – Fenster auf Nicht-Sinn. Wir alle sehnen uns nach Stabilität – und einige von uns finden sie im Schreiben. Sassezkis Wunsch, von seinem

Leben so viel festzuhalten, wie er konnte, wurde durch das Bedürfnis geweckt, die Löcher aufzufüllen und aus dem, was nicht kohärent sein wollte, wieder Kohärenz herzustellen und seinen Bericht für einen Leser außerhalb von ihm verständlich zu machen. Welche Stärken oder Schwächen ein geschriebener Text auch haben mag, er hat eine Festigkeit und Dauer, die gesprochene Sprache nicht haben kann. Wir vergessen Gespräche oder erinnern sie falsch, aber ein Buch kann mit Gewissheit wieder zitiert werden. Es verändert sich nicht. In *Unser gemeinsamer Freund* schließt Dickens eine stillschweigende Anerkennung seiner eigenen Fiktion als Antwort auf eine zerbrochene Realität ein, die sowohl außerhalb wie innerhalb des Selbst ist, und einen Wunsch, ganz zu machen, was in Raum und Zeit zerbrochen wurde. Sein Künstler ist ein verkrüppeltes visionäres Kind – Jenny Wren, früher Fanny Cleaver, die sich selbst neu erfunden hat als unversehrtes, fiktionales Geschöpf hoch in den Lüften. Wie ein Romancier hat sie Figuren – ihre Puppen –, die sie durch Geschichten aus dem bekannten Wortschatz der Märchen bewegt und in Stofffetzen einkleidet, auf die als «Schadhaftes und Abfall» verwiesen wird. Jenny Wrens Fiktionen sind aus diesem Schadhaften geboren, und obwohl sie ihr nicht ermöglichen, ihre Krücken wegzuwerfen, ist sie in ihren Träumereien und Geschichten ganz und heil.

Dickens war übernatürlich sensibel für Sprachverdrehungen. Er wusste, dass Wörter als Werkzeug für Verdunklung, Heuchelei und Selbstbetrug benutzt werden können. Er wusste auch, dass Sprache willkürlich und beschränkt ist, dass es Bereiche der menschlichen Erfahrung gibt, wo Wörter zerfallen – im erstickten Gestammel von Verlust, Wahnsinn und Delirium, und wenn wir der Realität unseres eigenen unvermeidlichen Todes nahekommen. Er wusste, dass die Erinnerung jedes Menschen von Ausfällen und Verschwiegenem gestört, unterbrochen ist und dass unsere Intaktheit und Kontinuität nicht gegeben sind, sondern in uns und von uns gemacht werden. Er hatte ein tiefes Wissen davon, dass das Selbst eine bedrohte Entität ist und dass die Kunst, es zusammenzusetzen, kein einsames Spiel ist. Es ist im Anderen verwurzelt, in dem wir eine spiegelnde Ganzheit, Dialog und schließlich Geschichte finden. Die Reise im Buch geht von «es» zu «ich» zu «wir». Dieses Dickens'sche *Wir* ist die Sprache selbst und die aus ihr gemachten wesentlichen Geschichten, die uns nicht nur verbinden, sondern der Welt da draußen einen Sinn geben und das kranke Bruchstück in Schach halten.

2004

Alle Zitate aus: Charles Dickens: «Unser gemeinsamer Freund». Weimar, o. J., Übersetzung: Horst Wolf. A. d. Ü.

Auszüge aus einer Geschichte des verwundeten Selbst

Die erste Geschichte gehört meiner Mutter, sie ist es, die die Geschichte erzählt, und wenn sie sie erzählt, lässt sie einen einzigen schrecklichen Augenblick nie aus. Sie war zu Haus und nahm ein Bad, und sie dachte bei sich: Wie kann ein Mensch nur so traurig sein, wie ich es bin? Meine Mutter war traurig, weil ich zu früh geboren worden war. Meine Lungen waren unterentwickelt, und der Arzt sagte meinen Eltern, ich könne sterben. Zwei Wochen lang lag ich in einem Brutkasten, während meine Mutter und mein Vater abwarteten, wie sich mein Schicksal entschied. Damals war es nicht üblich, dass die Krankenschwestern die Säuglinge in den Brutkästen anfassen oder massieren. Ich war in meinen ersten Lebenstagen von meiner Mutter getrennt, und ich denke heute, dass diese Erfahrung der Beginn einer besonderen Persönlichkeit ist. Als ich am Tag meiner Tauffeier Krämpfe bekam, erschreckte ich meine Mutter wieder. Wenn ich mich heiß anfühlte, regte meine Mutter sich auf, und auf einen einzigen Laut aus meinem Kinderbettchen hin eilte sie herbei. Ich war das erstgeborene Kind einer liebenden Mutter, die in der Angst lebte, sie könnte mich verlieren. Wir können uns an unser Säuglingsalter nicht erinnern, aber diese Zeit lebt in unseren Körpern, und wäre ich bei der Geburt nicht anfällig gewesen, wäre ich jemand anderes und hätte andere Gedanken. Rückblickend kann ich mich an keine Zeit erinnern, in der ich nicht die Empfindung in mir herumtrug, verwundet zu sein. Das Gefühl variiert von ganz leicht bis akut, aber der Schmerz in meiner Brust, schwach oder stark, ist eine Konstante in meinem Leben geblieben.

Es ist Nacht, und ich liege im Bett. Über mir bemerke ich einen in der Wand steckenden Bohrer. Niemand hält ihn; er fängt von selbst an, sich zu drehen, und während er sich dreht, sehe ich, dass lange, dünne Risse in der Wand entstehen. Die Risse werden breiter, und dann bricht die Wand auf. Der Schreck fährt mir in die Glieder, und ich werfe mich gegen die Wand, damit ihre Teile zusammenhalten und sie nicht einstürzt. Ich schreie. Davon wacht meine Mutter auf. Sie erinnert sich lebhaft an diese Nacht und sagt, ich hätte auch meine jüngere Schwester Liv aufgeweckt, die in Panik geriet und ebenfalls zu schreien anfing. Als meine Mutter in unser Zimmer kam, heulten wir beide vor Angst. Sie sagte, ich hätte mich gegen die Wand geworfen, und es hätte ausgesehen, als versuchte ich hinaufzuklettern. Ich erinnere mich nicht an Liv oder meine Mutter, aber ich erinnere mich an die klaffenden Risse im Putz und an den sich drehenden Bohrer, als wäre es gestern gewesen. Ich dachte, ich wäre wach, aber es muss ein Traum gewesen sein, einer ohne Schwelle – ich nahm im Traum und in der Realität denselben Platz ein. Die Angst hat in der Erinnerung nie nachgelassen. Ich muss etwa fünf Jahre alt gewesen sein.

Dieser Traum, diese Halluzination oder nächtliche Schreckensvision hat mich als Erwachsene verfolgt, weil sie so einfach ist, fast abstrakt in ihrer Reinheit, und wie keine andere, die ich erlebt habe. Die meisten Träume in meiner Kindheit waren lange, bewegliche Erzählungen mit Hexen und Menschenfressern und Menschen, die ich kannte; sie spielten in Straßen und auf Wiesen und in Zimmern und Fluren. Die einstürzende Wand bleibt ein durchschlagender metaphorischer Ausdruck für meine ungeklärte, aber allgegenwärtige Wunde und die Angst, die oft damit einhergeht. Ich habe Angst, dass Schwellen und Umgrenzungen nicht halten, dass Dinge in Stücke gehen.

Meine Schwester Liv und ich verließen unsere Mutter und unseren Vater zum ersten Mal, um den Cousin unseres Großvaters in seinem kleinen Haus in Highwood bei Chicago zu besuchen. Nach etwa einer Woche, in der wir uns nach ihr verzehrten, kam unsere Mutter zu Besuch und nahm uns ein paar Tage später im Zug wieder mit nach Hause. Wenn ich mich nicht irre, war es ein bewölkter Nachmittag. Ich erinnere mich, wie froh ich war, als wir drei zusammen durch die Innenstadt von Chicago gingen, und an das Gefühl meiner Hand in der meiner Mutter. Unterwegs überquerten wir eine Brücke und sahen zwei Polizisten einen Mann festhalten, der offenbar über das Geländer gestiegen war. Ich kann nicht sagen, ob meine Mutter erklärte, dass der Mann von der Brücke hatte springen wollen, oder ob ich es einfach wusste, aber die Polizeibeamten und der verzweifelte Mann ließen mich die Gefahren der Stadt spüren, und ich fand dieses Bedrohliche eher anregend als aufregend. Bald darauf bogen wir auf einen Bürgersteig ab. Links von mir war ein hohes graues Gebäude, und rechts von mir hatte sich eine Menschenmenge um jemanden angesammelt, der auf dem Pflaster lag. Ich weiß, dass es eine Frau war, aber ich kann mich nicht an sie erinnern. Ich kann ihr Gesicht oder ihren Körper nicht mehr sehen. Wir alle, meine Mutter, Liv und ich, schauten auf die Frau; ich erinnere mich nämlich an die Sorge meiner Mutter bei dem Gedanken, dass wir sie gesehen hatten. Als wir weitergingen, erklärte uns meine Mutter, die Frau habe einen «epileptischen Anfall» und könne nichts dafür, was mit ihr geschah. Dann überquerten wir auf unserem Weg zum Marshall-Field-Kaufhaus, wo wir Mittagessen wollten, eine breite Straße. Die Ampel war grün, und wir gingen los, aber mittendrin wurde sie rot, und die Autos fuhren an, als wären wir nicht da. Das wunderte mich sehr. Meine visuelle Erinnerung an jene Kreuzung, an die Autos, das auf der anderen Seite aufragende Gebäude und die Überführung ist äußerst lebhaft. Kann sein, dass das, was ich unmittelbar vorher mitangesehen hatte, einen chaotischen Körper, meine Erinnerung an das schärfte, was danach kam – die chaotische Straße. Die plötzlich an uns vorbeisausenden hupenden Autos traten an die Stelle des anderen, bedrohlicheren Bildes einer Frau, die die Kontrolle über sich verloren hatte.

In meinem ersten Roman kommt ein epileptischer Anfall vor, der vom Dach eines Hauses in New York mitangesehen wird. Die konvulsivischen Bewegungen der Frau werden von einer der Figuren fotografiert, und ich frage mich jetzt, ob ich damit nicht auf jene Straße in Chicago zurückkehrte und in Romanform berichtete, woran ich nicht imstande war, mich tatsächlich zu erinnern. Ich bin keine Epileptikerin, aber der schlotternde Körper, den ich damals sah, muss wie das Echo auf irgendein Zucken in mir selbst gewesen sein, denn es erschreckte mich genug, dass ich das Bild vollständig unterdrückte und stattdessen eine Leerstelle ließ, die nur von den Worten *epileptischer Anfall* meiner Mutter gefüllt war.

Wie so viele Kinder neigte ich zu Träumereien – langen, ausgiebigen Träumen, in denen ich mich selbst verlor und auf die Welt schaute. Wie seltsam, dachte ich, dass wir sehen und riechen und sprechen und essen und fühlen, dass da Bäume und Autos und Häuser, Stacheldraht, Maisfelder und Kühe sind. Mit diesen Gedanken ging ein Gefühl der Erhebung einher, das ich vage als Nähe zu Gott und zur Natur (beide vermischten sich in meinem Kopf) und als eine Form von persönlicher Magie erlebte, ein geheimer Glaube an meine eigene Macht, der mich von anderen Menschen abhob und mich sehr weit in der Welt bringen würde. Ich habe mich oft gefragt, woher diese innere Überzeugung kam. Ich war in keiner Weise ein Wunderkind. Meine frühen Erinnerungen an die Schule sind im Wesentlichen traurig. Lesen fiel mir leicht, aber ich litt furchtbar beim Umgang mit Zahlen. Noch heute graut mir bei der Erinnerung an die langen Reihen von widerspenstigen Zahlen, die nie richtig aufgingen. Die komplexen Beziehungen unter Kindern – alle Finessen von Freundschaften und Bündnissen, die Hierarchien von Herrschaft und Schwäche auf dem Schulhof – verwirrten mich und taten mir oft weh. Ich war auch keine gute Sportlerin, fast überall ein ernsthaftes Defizit, aber vermutlich noch mehr im Mittelwesten, wo körperliche Überlegenheit Jungen wie Mädchen in eine heldenhafte Position unter ihresgleichen katapultieren konnte.

Und doch, obwohl das Gegenteil auf der Hand lag, hielt ich grimmig an der einsamen Idee meines großen Schicksals fest, und ich habe den Verdacht, dass ich aus einem einzigen Grund bei dieser irrationalen Haltung blieb: Meine Eltern liebten mich sehr. Ganz offensichtlich fanden meine Mutter und mein Vater mich wunderbar. Sie gaben mir das Gefühl, dass nichts mich übertraf, und ihr Glauben an mich und an meine drei jüngeren Schwestern war unerschütterlich, eine Festung, in die wir uns zurückziehen konnten, wann immer es sein musste. Erst Jahre später begriff ich, dass ich aus einer Familie stammte, die in dieser Hinsicht ungewöhnlich war. Wir alle werden, physisch und emotional, von unseren Eltern gemacht, und die Eigenart, die wir «Charakter» nennen, ist sowohl von genetischen Gegebenheiten wie vom geheimnisvollen Mäandern einer bestimmten psychischen Geschichte beeinflusst.

Manche Leute neigen mehr zu numinosen Erfahrungen als andere – jene Momente oder Minuten der Transzendenz, Dissoziation oder Euphorie. Heute ist mir klar, dass ich eine neurologische und auch emotionale Veranlagung für solche seltsamen geistigen Verzückungen hatte. Als Kind hatte ich oft Kopfschmerzen, und ich erinnere mich, wie schockiert ich mit acht Jahren war, als mir eine Freundin sagte, sie habe noch nie welche gehabt. Mein Leben lang bekam ich beim bloßen Anblick eines Eiswürfels eine Gänsehaut, sogar an einem glühend heißen Tag. Schon der Gedanke an Eis erzeugt einen echten Kälteschauer in mir. Einmal habe ich einen Neurologen danach gefragt, aber er schien das, wovon ich sprach, nicht zu kennen. Etwa mit elf hörte ich befehlende Stimmen und Rhythmen in mir, die mich mit ihrer Beharrlichkeit erschreckten. Sie kamen immer, wenn ich allein war, und schienen mir ihren Willen aufzwingen, meinem Körper ihre Marschbefehle aufdrängen zu wollen. Die Gefahr, verrückt zu werden, schien mir damals sehr real, und ich hatte Glück, dass die Stimmen wieder verschwanden. Mit zwanzig bekam ich meine erste Migräne, die acht Monate anhielt und dann wieder wegging. In den folgenden Jahren wurde offensichtlich, dass mein Nervensystem labil war. Ich litt häufig unter einer Aura, die von einer ganz leichten Form – ein paar schwarze Punkte und grell weiße Lichter – zu dramatischeren Ausprägungen ging, wie plötzliche Anfälle in meinem Arm, die mich gegen eine Wand schleuderten. Einmal überkam mich dieses höchst sonderbare Phänomen, das als «Liliputaner-Halluzination» bekannt ist, bei dem ich einen kleinen rosa Mann und seinen kleinen rosa Ochsen auf dem Fußboden meines Schlafzimmers sah und glaubte, sie wären wirklich da. Ich hatte auch mehrmals euphorische Zustände, bevor mir schlecht wurde, und trotz des unvermeidlichen Nachspiels erinnere ich mich gern an diese Momente. Mein Sehen wird plötzlich schärfer, worauf ich mir einbilde, zu sehen, was ich sonst nicht sehe, und dann, gerade wenn ich mir selbst gesagt habe, wie phantastisch meine Sehschärfe ist, verspüre ich eine überwältigende Freude.

Diese Art Glück wird nach herkömmlicher Überzeugung als anomal, als ein bloßer Trick des Gehirns bezeichnet, der eine bevorstehende Migräne oder einen Anfall ankündigt; und daran ist etwas Wahres, aber die Erfahrung ist so real wie nur etwas, und womöglich ist es vergeblich, Emotionen vom Nervensystem abzulösen. Worauf es ankommt, ist die Interpretation. Wie krank meine Überempfindlichkeiten auch sein mögen, sie sind nicht trennbar von meiner eigenen Geschichte, und meine Lesart dieser Besonderheiten war mit der Zeit entscheidend dafür zu bestimmen, wer ich war und bin.

Ich kann mich nicht erinnern, dass wir zu Hause irgendwelche «Regeln» hatten. Es gab Routinen, die meine drei Schwestern und ich ohne zu fragen akzeptierten: aufstehen und frühstücken, Zähne putzen, uns für die Schule anziehen, Schulaufgaben machen und früh ins Bett gehen. Wir wurden zwar manchmal ausgeschimpft, aber nicht bestraft. Ein enttäuschter Blick von meiner Mutter oder meinem Vater reichte gewöhnlich, um aus einer kurzzeitig aufmüpfigen Tochter eine aufrichtige Entschuldigung herauszuholen. Schule dagegen war nichts als Vorschriften, Verbote und Strafen. Ich war eine brave Schülerin, nicht nur weil ich die Garderobe fürchtete, wo Kinder angeblich geschlagen wurden, sondern weil ich an eine Idee des Gutseins glaubte. Ich wollte rein sein, ehrlich – eine Miniaturheilige. Nur gut, dass ich kein Einzelkind war. Meine drei jüngeren Schwestern erwiesen mir einen großen Dienst, indem sie über meine frommen Vorstellungen lachten, über meine Ernsthaftigkeit, mein überentwickeltes Bedürfnis, verantwortungsvoll, zuverlässig, perfekt zu sein. Ich fürchte, dieses unattraktive Porträt meines früheren Selbst trifft zu. Ich fühlte die ganze Zeit so viel, dass ich mich nach etwas Ordnendem sehnte, was meinen inneren Tumult beruhigte. Obwohl ich ein liebes Kind war, konnte ich auch ein stures, humorloses Persönchen sein, das beinahe alles zu schwer nahm. Ich wünschte, ich könnte behaupten, diese Charakterfehler wären verschwunden, aber das wäre gelogen. Ich hänge immer noch an Ordnung, moralischen Barrieren, an allen Formen, die das Chaos in Schach halten.

An der Longfellow Elementary School war Reden beim Mittagessen verboten. Nicht einmal ein Flüstern wurde geduldet. Wir aßen schweigend. Wenn jemand die Regel brach, wurde der Bösewicht von einem Erwachsenen, der «Speisesaalaufseher» hieß, ans andere Ende des Raums geschickt und musste an einem der braunen Tische mit Klappstühlen weiteressen. Die Tische für liebe Kinder waren weiß mit langen weichen Bänken. Die Welt der braunen Tische war ein ferner Ort für die Unartigen, die Unruhigen, die Wagemutigen – größtenteils Jungen, die die Kunst, sich ruhig zu verhalten, nicht beherrschten. In der ersten Hälfte des zweiten Schuljahrs passierte es auch mir. Der Schulleiter, ein beängstigend großer Mann mit dem unheimlich passenden Namen Mr Lord kam in den Speisesaal stolziert, um etwas bekanntzugeben. Er fing an zu sprechen, brach mitten im Satz ab und zeigte zu meinem Entsetzen auf mich. «Du!», bellte er. «Geh an die braunen Tische!» Ich war fassungslos. Ich hatte kein Wort gesagt. Ich hatte nichts getan, aber ich nahm mein Tablett und ging den langen beschämenden Weg an den anderen Kindern vorbei und setzte mich auf den braunen Platz der Demütigung.

Der Vorfall hatte mich so verstört, dass ich den Mut aufbrachte, Mr Lord nach dem Essen auf dem Pausenhof anzusprechen. Ich ging zu ihm hin, sah ihm ins Gesicht und sagte: «Was habe ich getan? Ich habe nicht gesprochen.» Ich konnte seinem Gesichtsausdruck Verlegenheit und Unbehagen entnehmen. Er zögerte, und in diesem kurzen Augenblick, als er nichts sagte, ahnte ich meinen Triumph voraus. Er starrte auf mich hinunter, ohne mir in die Augen zu sehen, und murmelte: *«Du hast dein Essen heruntergeschluckt, während ich sprach.»* Ich war sieben Jahre alt, und ich wusste, dass das lächerlich war. Er war lächerlich. Der Satz brannte sich als Zeichen einer absolut sadistischen Dummheit in mein Bewusstsein ein. Er bewirkte eine innere Offenbarung: Manche Erwachsene sind genauso gemein wie manche Kinder. Es war meine Unschuld, die mir die Kraft gegeben hatte, den Mund aufzumachen, und meine Unschuld nahm in Verbindung mit Mr Lords stalinistischen Launen meinem Ausflug an die braunen Tische jede Spur von Demütigung.

Mein innerer moralischer Kompass war jedoch äußerst empfindlich, und in demselben Jahr tat ich etwas, was mich noch lange danach quälte, weil die Sünde, die ich begangen haben mochte oder nicht, von der Deutung eines einzigen Wortes abhing. Die Klasse übte Rechnen. Wie gewöhnlich kämpfte ich mit den kleinen Zahlen und dem gefürchteten Minuszeichen, das aus irgendeinem Grund so viel schlimmer war als sein freundlicheres Pendant, das Pluszeichen. Unsere Lehrerin, Mrs G., verließ das Klassenzimmer, und nachdem sie weg war, merkte ich, dass ich pinkeln musste. Ich hielt eine Weile durch, dann stand ich auf und ging treppab zur Toilette. In meiner Erinnerung daran kommt kein Gefühl vor, etwas besonders Unrechtes zu tun. Es erscheint jetzt fast wie ein Traum. Ich ging den finsteren grünen Flur entlang, die Treppe hinunter, pinkelte allein in der kleinen Toilettenkabine und ging durch die Tür, auf der MÄDCHEN stand, wieder hinaus. Draußen sah ich Mrs G. direkt auf mich zukommen. Es war die Zeit für die offizielle Toilettenpause, und sie führte die Klasse in zwei Reihen die Treppe hinunter. Sie sah mir in die Augen und sagte: *«War es ein Notfall?»* Ich sagte: «Ja.» Unmittelbar danach und noch jahrelang fragte ich mich, ob ich gelogen hatte. Es war nicht wirklich ein Notfall im wahren Sinn des Wortes gewesen, oder doch? Hätte ich es anhalten können? Wahrscheinlich. Wäre es schwer gewesen? Stellte es einen Notfall dar, wenn man ziemlich eilig muss?

Als Erwachsene kann ich sagen, dass es schlechte Pädagogik ist, Schulkinder wie Gefängnisinsassen zu behandeln, dass die halbe Lüge mich vielleicht vor Schelte oder Schlimmerem bewahrte, aber das Interessante an der Geschichte ist mein Kampf mit der Semantik und der moralischen Resonanz beim Interpretieren der Bedeutung eines Wortes. Hätte Mrs G. nicht das Wort *Notfall* benutzt, wäre mir das Vorkommnis gar nicht im Gedächtnis geblieben. Manche Wörter, Ausdrücke, Sätze bleiben für immer im Gehirn haften wie Hirntatoos. Auf dem Spielplatz sangen die Kinder immer im Chor: «Stöcke und Steine brechen mir die Beine, aber Wörter können mir gar nichts antun.» Wenige Dinge sind mir damals oder heute falscher vorgekommen als dieser groteske Gesang. Wörter können am Boden zerstören, und sie können heilen.

Ich habe kein Bild davon im Kopf, wie unsere Sonntagsschullehrerin der Klasse die Geschichte von Abraham vorliest. Ich kann mich nicht daran erinnern, wie sie aussah, und ich weiß auch nicht mehr, wie sie hieß, daher werde ich sie Mrs Y. nennen. Ich entsinne mich vage an Licht, das durch ein Fenster strömte, und an Staubkörner, die in der Luft schwebten, aber das kann auch in einer anderen Stunde und in einem anderen Jahr in der St. John's Lutheran Church gewesen sein. Ich weiß aber, dass wir die Geschichte hörten und dass sie mich schon erschreckte, bevor die Lehrerin die folgenden Worte sprach: *«Ihr müsst Gott mehr lieben als alle und alles.»* – «Mehr als meine Eltern?» fragte ich sie.

«Ja.»

Dieses «Ja» quälte mich tagelang. Was für ein Gott verlangte von einem Menschen, seinen eigenen Sohn zu töten? Was, wenn Gott von *mir* verlangte, *meine* Eltern zu töten? Das könnte ich nie. Ich wusste, ich liebte sie viel mehr, als ich Gott liebte. Obwohl ich mich nicht an den Unterricht erinnere, habe ich ein lebhaftes Bild davon, wie ich nachts in meinem Bett lag und über den *Satz* nachdachte. Ich höre noch den regelmäßigen Atem meiner Schwester von der anderen Seite des Zimmers. Ich verabscheute den Gedanken, dass Gott da war, ein alles sehender, allwissender, eifersüchtiger Gott, im selben Zimmer wie Liv und ich, und dieser Gott, den ich mehr lieben sollte als alle oder alles, war derselbe Gott, der von Abraham verlangte, seinen Sohn umzubringen. Gott war zu allem fähig.

Nach einer Woche, die ich schlaflos mit *dem Satz* verbrachte, weihte ich schließlich meine Mutter ein: «Mrs Y. hat gesagt, wir müssen Gott mehr lieben als unsere Eltern.» Meine Mutter sah mich an und sagte nur ein Wort: «*Unsinn.*» Sie saß am Küchentisch, als sie das sagte, und ich stand ganz dicht bei ihr. Ich fühle noch den Stein, der mir vom Herzen fiel, und Erleichterung durch meinen Körper strömen. Ich drehte mich um und, plötzlich unbeschwert, hatte ich das Gefühl, die Treppe hinunter in mein Zimmer zu schweben.

Als meine Tochter drei Jahre alt war, sah sie mich an und sagte: «Mom, wenn ich groß bin, bin ich dann immer noch Sophie?» Ich bejahte, denn es ist ja so, dass ein Name einem Körper die ganze Zeit über folgt, doch die Dreijährige, die die Frage stellte, hat wenig Ähnlichkeit mit der erwachsenen jungen Frau, die ich heute kenne. Wir müssen das Selbst als Kontinuum denken, eine stetige Geschichte im Zeitablauf. Der Geist ist immer auf der Suche nach Ähnlichkeiten, Assoziationen, weil sie Bedeutung erzeugen. Wenn erkennbare Wiederholungen gestört sind, heißt es: «Er war nicht er selbst», oder: «Ich weiß nicht, was über mich gekommen ist. Ich bin heute nicht ich selbst.» Vor einigen Jahren hörte ich den Vortrag einer Frau, einer manisch-depressiven Ärztin, über ihre Memoiren, die sie gerade veröffentlicht hatte. Sie beschrieb das Ende ihrer manischen Phase folgendermaßen: «Ich kehrte zu mir selbst zurück.» Genau genommen ist das aber logisch falsch. Ob Menschen von einer chemischen Unausgeglichenheit bedrängt werden oder durch einen schmerzlichen Verlust in Panik oder in eine Depression verfallen – ihre Ungereimtheiten gehören auch zum Selbst. Es ist das Gefühl oder der Eindruck von Fremdheit, weswegen wir die Unterbrechungen, Ausbrüche, Ausfälle und Ungereimtheiten verstoßen wollen – alles Material in uns, das wir keinesfalls in eine Erzählung integrieren wollen.

Ich wusste nicht, was ich mit dem anfangen sollte, was ich in den Nächten, in denen ich über den Satz nachdachte, vor mir sah: Abrahams Hand, die das Messer packte und ausholte, um damit seinen Sohn zu töten, seinen Körper aufzuschneiden. Egal, wie die theologische Erklärung lautete, für mich war es ein Bild der Rache, des Zorns und der drohenden Verstümmelung. Viele Jahre nach dieser verhängnisvollen Sonntagsschulstunde suchte ich Hilfe bei einem klinischen Psychologen an der Columbia University, wo ich promovierte. Ich fühlte mich ganz ruhig, als ich Dr. R.s Sprechzimmer betrat, und war bereit, über meine verschiedenen Störungen und Ängste zu sprechen. Ich setzte mich auf einen Stuhl ihm gegenüber, sah ihm in die Augen und brach plötzlich, ohne die geringste innere Vorwarnung, in Tränen aus. Er sagte kein Wort, aber ich beobachtete, wie seine Hand sich zu einer in Reichweite stehenden Schachtel Kleenex bewegte, die er mir gab. Es war eine erfahrene, verständnisvolle Geste. Sogar in dem Moment empfand ich einen Anflug von Komik an der Szene und fragte mich, wie viele andere verzweifelte Doktoranden im Sprechzimmer dieses Arztes schon unerwartete Tränen vergossen hatten. Es ist eine traurige kleine Tatsache, dass wir uns selbst häufig genauso ein Geheimnis sind wie anderen.

Ich suchte Dr. R. einige Wochen lang auf, aber ich erinnere mich nicht mehr, wie viele. Ich redete eine Menge über das Leben und die Liebe und meine Nerven, doch nur einer seiner Kommentare sticht mit der überragenden Deutlichkeit hervor, die nur die Erkenntnis mit sich bringt. Er sagte, er glaube, ich hätte eine furchtbare Angst vor Gewalt in mir. Dann erklärte er, er sei absolut überzeugt davon, dass ich unfähig zu Gewalt gegen mich selbst oder irgendjemand anderen sei. Sobald er diese Feststellung ausgesprochen hatte, fühlte ich eine ungeheure Erleichterung. Es war, als wäre jemand gekommen und hätte einen dicken langen Strick gelöst, der mich von Kopf bis Fuß gefesselt hielt.

Erst jetzt, beim Schreiben, wird mir klar, dass Dr. R.s Worte gleichsam das Echo auf das eine Wort waren, das meine Mutter Jahre zuvor gesprochen hatte: «Unsinn.»

Eine Studienfahrt in das staatliche Krankenhaus in Faribault: Der Raum ist groß und rechteckig, mit hohen Fenstern an einer seiner kahlen Wände. Ich gehe zwischen den Bettreihen hindurch. Die Fenster sind links von mir. Graues Licht scheint von außen herein. Ich gehe langsam und sage nichts. Jemand, wahrscheinlich der Führer, ein Mann oder eine Frau, ich erinnere mich nicht mehr, sagt, dieser Raum sei für die «stark Zurückgebliebenen». In einem Bett liegt ein Junge, ein großes Kind, vielleicht zehn oder elf, nur mit einer Windel um seine schmalen Hüften bekleidet. Sein Haar ist dunkel und seidig, und er liegt auf dem Rücken, eine Wange auf das Kissen gedreht. Das Fleisch seines dünnen, kraftlosen Körpers sieht aus wie das eines Kleinkindes – schön, weiß und makellos. Seine Augen sind ungerichtet. Er sabbert. Und dann ist da ein Ausblick. Ich sehe von Ferne den Parkplatz – drei orangefarbene Schulbusse in schwachem Sonnenlicht und dahinter hohe, fast kahle Bäume.

Ich kann nicht mit Sicherheit sagen, ob der Blick aus der Anstalt oder in die Anstalt ging, da ich aber auf die Busse hinunterzublicken scheine, vermute ich, dass ich von innen schaute, vielleicht aus einem Fenster im ersten Stock. Die Frage, warum dieses Kind sich in mir festgesetzt hat, kann ich nicht vollständig beantworten, aber ich denke, sein Anblick spiegelt irgendeine stumme Furcht und Trauer in mir selbst. In ihm sah ich ein stärkeres Bild von Verlassenheit und Isolation als irgendetwas, was ich je zuvor oder danach gesehen habe. Und warum habe ich das Bild der Schulbusse behalten? Vielleicht weil sie die Verheißung waren, nach Hause zu kommen.

Man wundert sich, wieso die Schulverwaltung sich einbildete, Zehn- und Elfjährige durch die trostlosen Stationen eines staatlichen Krankenhauses zu scheuchen, könnte ein nützlicher Ausflug sein. Unser Lehrstoff hatte nicht das Geringste mit Themen wie Zurückgebliebenheit, Wahnsinn oder staatlichen Anstalten zu tun. Mr L., unser Lehrer in der fünften Klasse, hatte die Exkursion bestimmt nicht angeregt. (Wahrscheinlich war es eine von unsichtbaren Autoritäten organisierte alljährliche Pflichtübung. Im Jahr darauf besichtigten wir ein Museum für Unfälle auf dem Bauernhof, in dem wir mit lebensgroßen Nachbildungen von Armen, die von Dreschmaschinen abgetrennt wurden, und in Mähdreschern zerkleinerten Beinen erfreut wurden.) Mr L. war jung und sanft und respektvoll. Obwohl es mir damals nicht bewusst war, vermute ich, dass seine Freundlichkeit mir Energie gab. Der Unterricht bei ihm war mehr wie mein Zuhause, und in dieser Umgebung blühte ich auf. Ich schrieb ein Stück, führte Regie und spielte (selbstsüchtig) die Hauptrolle in einer Schulaufführung; sammelte Unterschriften von jedem Schüler der fünften und sechsten Klasse für eine Petition beim Schulleiter, das Recht, beim Mittagessen zu sprechen, einzuführen (eine Aktion, die jämmerlich scheiterte); stürzte mich im Englischunterricht in das Schreiben und Illustrieren eines Romans mit dem Titel *Carrie in Baxter Manor*; entdeckte meine Leidenschaft für die Abolitionisten. Ich fand neue Helden in Harriet Tubman und Booker T. Washington und kämpfte mich durch die viktorianische Sprache von *Onkel Toms Hütte*, während ich die ganze Zeit auf einer Welle von, wie Kinder sagen, «Beliebtheit» schwamm.

Im Jahr darauf ging meine alte Wunde wieder auf. Es fing im Februar an und dauerte bis zum Ende des Schuljahrs. Aus mir unerklärlichen Gründen fiel ich plötzlich bei den Mädchen, die mich einmal gemocht hatten, in Ungnade. Ich wurde zu einer verachteten Außenseiterin – das Ziel grausamer Späße und Quälereien. Ich wurde angerempelt, gekniffen und gestoßen. Auf jede Bemerkung von mir reagierten die Mädchen, die wie durch einen bösen Zauber in jener kleinen Welt pubertierender Sechstklässlerinnen allmächtig geworden waren, mit Gekicher und Geflüster. Monatelang lebte ich in einem Zustand verwirrter Qual. Wie die meisten Geschichten von weiblicher Schikane fing es bei mir mit einem einzelnen Mädchen an. Ich bin mir sicher, sie hatte die Blessuren in meinem Innersten aufgespürt und zielte darauf. Wäre ich härter gewesen, hätte ich mich gegen ihre Machenschaften wehren können. Sie kam aus einer Familie, in der es heftigen Geschwisterneid gab. Ihr Wunsch, mich zu verletzen, war wohl hausgemacht, aber ich hatte damals kaum das Werkzeug, ihre Psyche zu analysieren, und selbst wenn, hätte es mir nicht viel geholfen. Offene Feindseligkeit – sie sorgte dafür, dass ich aus Spielen und Gesprächen ausgeschlossen wurde – vermischte sich mit heimlichen Grausamkeiten, falscher Freundlichkeit, die mich glauben machen sollte, ich wäre wieder akzeptiert. Diese Falschheiten waren am schlimmsten. Die Doppelzüngigkeit machte mich krank. Ich schlich und schleppte mein armes Selbst umher wie ein geprügelter Hund. Meine einzige Verteidigung hätte echte Gleichgültigkeit sein können. Ich hatte sie bei anderen gesehen und hätte sie gern selbst gehabt, aber diese Eigenschaft ging mir ab. Ich wollte gemocht und bewundert werden und konnte nicht ergründen, was mein elendes Schicksal herbeigeführt hatte. Eines Tages jedoch kam ich an meinen Platz zurück und entdeckte, dass eine meiner Zeichnungen verunziert und zerrissen worden war. Meine Feindinnen hatten einen strategischen Fehler gemacht. Ein kleines Licht ging mir auf. Ich war die beste Zeichnerin in meiner Klasse, und ich wusste es. Meine Bilder wurden allgemein gelobt, und ich war stolz auf meine Begabung. Eine Zeichnung zu schänden war ein Zeichen von Neid.

Meine visuellen Erinnerungen an diese Monate sind wie graue Bruchstücke. Ich sehe den Flur in der Schule und die Tür zur Toilette, wo ich mich in eine Kabine schlich und so leise wie möglich ein paar Tränen vergoss. Ich erinnere mich, dass ich meinen Faltenrock und die graugerippten Wollstrümpfe betrachtete, die ich im Winter oft trug, während ich allein dort saß und mich trotz meines Unglücks erleichtert fühlte, weg von den anderen zu sein.

Auf Drängen meiner Mutter besprach mein Vater meinen Fall mit dem Lehrer, Mr V. Die Begegnung nahm in unserer Familie mythische Dimensionen an, weil Mr V. von dem, was mein Vater zu sagen hatte, ganz überrascht war. Er wusste nichts von der Intrige, die sich heimlich in seiner eigenen Klasse abgespielt hatte, und sprach die Worte, die meine Eltern mir später wiederholen sollten: «Aber warum Siri? Sie hat doch so viel zu bieten.»

Es muss im November oder Dezember des folgenden Schuljahrs gewesen sein, da hatte ich eine Epiphanie. Heute glaube ich, dass jener Augenblick nur ein bewusstes Erkennen meiner dramatisch veränderten Situation war. Meine Familie war von Minnesota nach Bergen in Norwegen umgezogen. Mein Vater verbrachte sein Sabbatical mit Forschungen an der Universität der Stadt, in der der Bruder und die Schwester meiner Mutter mit ihren Familien lebten. Ich ging sehr gern in die Rudolf-Steiner-Schule. Ich mochte meine Lehrer sehr gern. Ich mochte meine beste Freundin Kristina sehr gern. Der Augenblick kam eines Nachts nach einer Party, die einer der Jungen aus meiner Klasse gegeben hatte. Er stammte aus einer wohlhabenden Familie, die in einem weitläufigen, niedrigen, eleganten Haus außerhalb von Bergen wohnte. Ich trug das rosa Kleid, das meine Mutter für mich genäht hatte, ein Minikleid mit einer Spitzenrüsche vorne, und die rosa Wildlederschuhe mit kleinem Absatz, die im größten Kaufhaus von Bergen gekauft worden waren. Auf der Party hatte ich mit jedem Jungen aus meiner Klasse getanzt. Nacheinander hatte jeder die Arme um mich gelegt und mich zum rührseligen Lieblingssong der Klasse, «Silence is Golden», herumgeschwenkt. Als ich in die kalte Nacht hinausging, sah ich, dass es schneite. Gartenlaternen erleuchteten die runde Auffahrt vor dem Haus und die Schneeflocken, die so groß waren, dass ich den Eindruck hatte, ich könnte die ausgeprägte Form jeder einzelnen sehen, während sie langsam auf den Boden fielen und ihn weiß färbten. Die Szene war nicht nur schön, sie hatte etwas Zauberisches. Die trübe, braune, öde Welt von vor einigen Stunden war in ein strahlendes neues Weiß verwandelt. Damals begriff ich es nicht, aber kein Bild hätte besser zu meinem Innenleben gepasst. Ich nahm mir vor, mich an diesen Schnee zu erinnern und an mein reines starkes Glücksgefühl einfach darüber, dass ich lebte und die Schönheit sehen konnte. Dieser Gedanke hat mich nie verlassen.

Die Lektion dieser brutalen Schicksalswenden ging tief. Manche Menschen wurden schnell grausam, ohne sich zu schämen. Bei mir selbst folgten auf jedes unfreundliche Wort, das ich von mir gab, erbarmungslose Schuldgefühle und Reue, die ich kaum ertragen konnte. Diese Unterschiede zwischen Menschen beschäftigen mich noch immer. Die Mysterien einer Persönlichkeit sind nicht leicht zu analysieren, aber es ist sicher, dass Menschen die ganze Skala von hochgradig mitfühlend bis absolut gefühlskalt durchlaufen. Das Geheimnis liegt in unseren Körpern und in den Geschichten unseres Lebens mit anderen Menschen, in den dunklen Nuancen von Wiederholungen und Unterbrechungen.

Es ist der Sommer des Jahres 1968, und ich lese fast den ganzen Tag bis in die Nacht hinein. Ich lese ein Buch nach dem anderen. Die Bücher regen mich auf und erregen mich. Tagsüber kann ich nicht aufhören zu lesen und leide zum ersten Mal in meinem Leben an anhaltender Schlaflosigkeit. Einmal nachts, um zwei Uhr morgens, liege ich immer noch wach. Ich habe David Copperfield *gelesen, habe das Buch aber vor Erschöpfung hingelegt. Ich stehe auf und gehe zum Fenster. Ich schiebe die Jalousie beiseite und schaue hinaus in die Nacht, die keine Nacht ist, aber auch kein Tageslicht. Ein blasser gelbgrüner Dunst erhellt die Häuserreihe gegenüber. Reykjavik im Juni. Draußen ist kein Mensch, und es ist kein Laut zu hören. Alle schlafen. Während ich so stehe, befällt mich eine starke, aber angenehme Traurigkeit. Meine ganze Beklommenheit fällt von mir ab, während ich schaue. Eine Weile stehe ich noch und schaue, dann gehe ich wieder ins Bett.*

Wieder und wieder habe ich diese in jenes eigenartige Licht getauchten Häuser durchs Fenster vor mir gesehen. Die Erinnerung ist hartnäckig und mächtig. Warum ist diese Erinnerung so beharrlich, während andere vergangen sind? Anders als an dem Abend, als ich zusah, wie der Schnee fiel, nahm ich mir bei diesem Anblick nicht vor, ihn zu erinnern, doch er fällt mir immer wieder ein. Die Erinnerung bringt ein Gefühl von Melancholie mit sich, das mit dem Lesen wie mit der Schlaflosigkeit verbunden ist. Das Erleben von Davids Kindheit war ungeheuerlich für mich gewesen. Als ich aus jenem Fenster schaute, hatte ich Mr Murdstones Sadismus durchlebt, Dearests Tod, die Nettigkeit von Peggotty, der Knöpfe abplatzen ließ, die unnachgiebige Güte von Tante Betsey und die Wunder von Mr Dick, einem Charakter, der eine meiner Lieblingsfiguren in der gesamten Literatur bleibt. In jenem Sommer begann ich die Phantasie zu nähren, Schriftstellerin zu werden. Durch die Bücher fühlte ich mich tief und lebendig, so als wären diese Geschichten mir näher als alles andere. Niemand konnte weniger von einer Waisen haben als ich mit meinen liebevollen und aufmerksamen Eltern, und doch rührten die Leiden von David Copperfield und Jane Eyre an meine alte Wunde. Ich überließ die ganze Kraft meiner Empathie dem Helden und der Heldin dieser Romane. Dennoch, als ich von ihrem Leid und ihren Demütigungen las, war mein Kummer um sie eine Art Übersetzung – eine Neuerfindung meines eigenen Gefühlslebens. Durch sie war ich imstande, in mir selbst eine Veränderung herbeizuführen, und irgendwie ist jener Ausblick aus dem Fenster, an dem ich eines Nachts allein stand, ein Bild für das, was ich nun als das Ende meiner Kindheit erkenne.

Wenn ich sage, dass meine Wunde in den folgenden Jahren politisch wurde, meine ich nicht, dass meine Beteiligung an der Antikriegsbewegung in irgendeiner Weise unaufrichtig war oder dass ich mein Engagement irgendwie bereue. Als Verfechterin der Armen, Entrechteten, Geknechteten und Unterdrückten fand ich ein neues Ventil für das etwas irrationale, aber gleichwohl starke Gefühl, eine Außenseiterin in einer

Gruppe zu sein – unbehaglich, verlegen, schnell beleidigt. Politisches Empfinden kann es nicht ohne Identifikation geben, und ich identifizierte mich unweigerlich mit den Machtlosen. Rechte Ideologien sind dagegen oft für diejenigen anziehend, die sich selbst mit der Autorität zusammentun wollen, Leute, die sich beim Anblick von Militärparaden oder in den Krieg marschierenden Soldaten vergrößert, nicht schmerzlich berührt fühlen. Auch Politik bedeutet zwangsläufig Sublimierung. Sie wird ein Weg für unterdrückte Aggressionen und Wut, und ich war keine Ausnahme. Und so kam es, dass ich mit vierzehn, voller Leidenschaft und prallvoll mit politischer Geschichte, eine Aufwieglerin wurde. Drei Jahre lang las und diskutierte und demonstrierte ich. Ich marschierte gegen den Vietnam-Krieg, half nach dem Tod der vier Studenten der Kent State am Carleton College T-Shirts bedrucken, ging zu Kundgebungen, sammelte Geld für das von Krieg verwüstete Moçambique, unterschrieb Petitionen, leckte Briefumschläge für das American Indian Movement und wurde Feministin.

Aber selbst damals glaubte ich nicht die ganze Rhetorik – das kindische Gefasel, das aus dem Mund von Leuten wie Abby Hoffman und Mitgliedern der Chicago Seven kam. Der Militarismus der Black Panther, die Gewalt der Weathermen, die Seichtheit des Guerilla Theater – all das entfremdete mich. Ich erinnere mich an Russell Means, einen Führer des AIM, dem ich an einem Winternachmittag in Minnesota zuhörte, wie er die Überlegenheit der Kultur der amerikanischen Indianer darlegte, als wäre sie ein Monolith, und ich dachte, dass seine Polemik die großen Unterschiede zwischen Stämmen derartig verdreht darstellte, dass es einfach grotesk war. Mir dämmerte, dass Ideologien notwendigerweise an der

Realität herumdrücken, -ziehen und -zerren, damit sie in das System passt. Selbst wenn sie im Dienst einer hehren Sache geschehen, graut mir vor Lügen.

Als ich dann im Herbst 1973 am St. Olaf College anfing zu studieren, ging die historische Periode, in die ich hineingerissen worden war, mehr oder weniger zu Ende. Ich erinnere mich lebhaft an eine Diskussion, die ich in meiner ersten Studienwoche mit einem Soziologieprofessor hatte. Er war ein ehemaliger Priester, der für die Bürgerrechte gekämpft hatte und bei der Demonstration in Selma dabei gewesen war. Wir diskutierten «den Niedergang der Neuen Linken».

Ich sitze in einem schmalen Flur auf der untersten Stufen einer weißen Treppe. Eine Tür mit einem Glasfenster, die zur Straße hinausgeht. Ich schluchze. Ich war damals sechzehn und hatte mich in einen großen, gutaussehenden Politagitator verliebt, der fünf Jahre älter war als ich. Er hatte es beendet. Die jungen Frauen kauern auf dem Boden und versuchen, mich zu trösten. Es ist seltsam, dass ich mich weder daran erinnern kann, wo dies stattfand – außer, dass es in Minneapolis gewesen sein muss –, noch wer die beiden Personen vor mir sind. Sie waren keine engen Freunde, aber man würde doch annehmen, dass mir Namen einfallen oder wenigstens, wie sie aussahen. Ich erinnere mich auch nicht daran, wie diese Romanze endete. Anscheinend hatte er mir geschrieben, aber ich habe keine Erinnerung an einen Brief, der mir an jenen Ort gebracht worden war. Ich habe es verdrängt und kann es nicht zurückbringen, wie sehr ich es auch versuche. Ich weiß, dass ich, während ich auf jenen Stufen saß, untröstlich war. Meine Brust hob und senkte sich. Ich schnaubte, jaulte und heulte, und die bloße Macht meiner Gefühle beeindruckte die beiden unglücklichen Zeugen meines Liebeskummers. Ich konnte es auf ihren erstaunten Gesichtern lesen, deren Züge nun verloren sind.

In dem Augenblick war ich nichts als eine Wunde. Die erste Liebe ist oft beängstigend, wahrscheinlich weil sie die erste ist und es keine bewusste Geschichte gibt, von der sie gedämpft würde. Und doch, die Wahrheit ist, dass ich weinte *wie ein Baby*, ohne Hemmung oder einen Funken Würde, die mich aufrecht gehalten hätte, und ich kann nicht umhin, von dieser Weinenden auf den Stufen ergriffen zu sein. Konfrontiert mit der Trennung von einem geliebten Menschen, reiste ich rückwärts in die fernen Bereiche meines Säuglingsalters. Ich sollte mich wieder verlieben und sollte wieder unter Trennungen leiden und weinen, aber ich sollte mir nie wieder erlauben, so aus voller Kehle, so ungezügelt zu schluchzen.

Ich trauerte ein Jahr lang – das Jahr, in dem ich mich wieder in Bergen befand. Ich studierte an der 1153 gegründeten altehrwürdigen Katedral Skolen und wohnte außerhalb der Stadt bei meiner Tante und meinem Onkel. Meine Eltern hatten es arrangiert. Obwohl ich nicht viel mit ihnen über meinen Kummer sprach, waren sie sich seiner zutiefst bewusst und verstanden, dass ich Welten dazwischenlegen musste. In jener verregneten Stadt in den Bergen an der Westküste Norwegens kurierte ich mein gebrochenes Herz aus, besuchte jeden Tag meine geliebte Großmutter, las Hunderte Bücher, schrieb schlechte Gedichte und rauchte unzählige Zigaretten. Ich war eine siebzehnjährige intellektuelle Eremitin, und ich glaube, es tat mir gut. Nicht lange nach meiner Rückkehr in die Vereinigten Staaten stand das alte Liebesobjekt vor meiner

Tür. Ich wies ihn ab, und die Erinnerung daran ist bis heute süß.

Im College zog ich mich in die Bibliothek zurück. Ich habe Bibliotheken immer geliebt – die Ruhe, den Geruch, die Erwartung unmittelbar bevorstehender Entdeckungen. Im nächsten Buch werde ich es finden: irgendeine unsagbare Freude oder überraschende Offenbarung oder außergewöhnliche Nuance, die ich noch nie gedacht oder gefühlt hatte. Ich saß jeden Tag stundenlang in der Bibliothek und war dort glücklich, aber ich war nicht von zu Hause weggegangen. Ich besuchte das College, an dem mein Vater Professor war und viele Stunden seiner Zeit dem Norwegisch-amerikanischen Geschichtsverein als Geschäftsführer widmete. Das Vereinsbüro war in der College-Bibliothek, und meine Mutter arbeitete in der Zeitschriftenabteilung derselben Bibliothek. Zwei Jahre später studierte meine Schwester Liv auch in dieser Bibliothek, und drei Jahre danach kam meine Schwester Ingrid. Nur Asti, die dritte Schwester, ging an ein anderes College und arbeitete in einer anderen Stadt in einer anderen Bibliothek.

Eines Nachmittags verließ ich meinen Arbeitsplatz in der Bibliothek, um mit einem Freund zu reden, der einen traurigen Konflikt mit seiner Freundin hatte. Als ich zurückkam, lag ein Zettel auf dem Tisch. Es war ein Brief der Reue. Die Person, die ihn geschrieben hatte, hatte meinen Freund und mich heimlich belauscht und gemerkt, dass ihre oder seine Gefühle mir gegenüber ganz falsch gewesen waren. Genau erinnere ich mich nur noch an folgenden Satz: «Ich dachte, du wärst ein kaltes Miststück, aber jetzt weiß ich, dass du ein netter, guter Mensch bist.» Der Brief war nicht unterschrieben. Da mir die Abneigung jener Person nicht bewusst gewesen war, war mir die Neuigkeit nicht angenehm, aber sie überraschte mich auch nicht. Zu der Zeit, als ich diesen Brief bekam, hatte ich eine weite Strecke von dem Mädchen in der sechsten Klasse zurückgelegt, das in der Toilette weinte, aber ich war noch immer suspekt und noch immer eine Außenseiterin. Das Leben in der Provinz nährt sich von Konformität – von der Vorstellung, niemand sollte auffallen, wenn er es vermeiden kann. Die Verkrüppelten, Zurückgebliebenen und Senilen können es nicht vermeiden, und ihnen wird vergeben, aber absichtlich aufzufallen wird als Kritik an der Gemeinde allgemein angesehen. Für wen hält sie sich? Tatsächlich, für wen hielt ich mich? Mein zwölfjähriges Selbst wäre liebend gern von seinen Peinigern aufgenommen worden, aber die Neunzehnjährige hatte gelernt, Verachtung für jene zu empfinden, die nach dem gleichmacherischen Vorurteil lebten, das in meiner Heimatstadt regierte und mich weiter durch meine Collegejahre in derselben Stadt verfolgte. Und doch blieb das Kind, das in den Wäldern hinter dem Haus der Familie träumte, das sich einsam und herausragend und für ein besonderes Schicksal begabt fühlte, in der jungen Frau in der Bibliothek, und vielleicht witterten die Leute diesen seltsamen, arroganten inneren Glauben und reagierten mit Abneigung darauf. Wenn die Verletzlichen nicht auch stolz sind, werden sie vernichtet.

Ich las und schrieb. Ich schrieb Geschichten und Gedichte, die viel besser waren als die Hunderte von Seiten mit Schrecklichem, die ich in der High School geschrieben hatte. Die Literaturzeitschrift des Colleges lehnte alles ab, was ich zu bieten hatte. Interessanterweise erinnere ich mich voller Verbitterung an jene Ablehnungen, während ich andere danach vollkommen vergessen habe. Erst vor einigen Monaten verlegte ich mein Arbeitszimmer in einen anderen Raum und ordnete meine Unterlagen. Darin fand ich mehrere Ablehnungsschreiben von Literaturzeitschriften, einige sehr lang und detailliert, an deren Empfang ich keinerlei Erinnerung hatte. Kann sein, dass diese frühen Abweisungen meines Schreibens einen Beigeschmack von persönlicher Antipathie hatten, sodass es kaum darauf ankam, was ich schrieb, wohingegen die späteren Briefe ausschließlich eine Sache des literarischen Geschmacks waren. Alles in allem war in der Zeit am College mein inneres Leben mit Büchern besser als das Campusleben, und ich hegte vage Träume, Minnesota und seine sturen, ehrlichen, höflichen Lutheraner zu verlassen und irgendwohin zu gehen, wo mehr Leben, mehr Gefahren, mehr von allem war.

Im Herbst 1975 schrieb ich mich für ein Semester im Fernen Osten ein. Ich verließ die Heimat, ohne sie ganz zu verlassen, denn die Fakultätsmitglieder, die die Reise begleiteten, waren meine eigenen Eltern, und meine drei Schwestern kamen auch mit. Ich war zwanzig Jahre alt, eine junge Frau in bebender Erwartung kommender Abenteuer. Während einige meiner Kommilitonen einen Kulturschock erlitten, erlebte ich die ersten Wochen des Ausflugs in Japan, Taiwan und Hongkong in einem fieberhaften Freudenrausch. Als wir dann in Chiang Mai in Thailand ankamen, war mein Körper so wach für sinnliche Reize geworden – für den schrillen Gesang unbekannter Vögel, den singenden Tonfall der Vokale in Mandarin und Kantonesisch, für Farben auf den Märkten, die so strahlend waren, dass sie beinahe wehtaten, neue Blumendüfte, den stechenden Geruch von Fleisch und den Gestank von unbekannten Früchten –, dass ich mich fast wie neugeboren fühlte. Es ist vielleicht die einzige Zeit in meinem Leben, in der ich mich nicht erinnere, irgendetwas gelesen zu haben. Ich muss gelesen haben, denn ich hatte ja Unterricht, aber es kann nicht sehr wichtig gewesen sein. Die Worte sind verschwunden.

Wir blieben drei Monate in Chiang Mai, und wie unzählige Europäer und Amerikaner vor mir geriet ich in den Bann eines orientalischen Zaubers, den ich nicht brechen wollte. Es war eine Form kultureller Beschwipstheit, nehme ich an, ein Bedürfnis, in etwas einzutauchen, was ich noch nie gesehen oder geschmeckt hatte. Meine Jahre in Norwegen hatte ich mit Vertrautem verbracht. Ich kannte die Sprache. Die Familie meiner Mutter und Verwandte meines Vaters lebten in dem Land. In scharfem Kontrast dazu war Thailand radikal fremd. Ich verliebte mich in einen Thai, V., und es begann eine Zeit, die im Rückblick wie eine Explosion angestauten Begehrens aussieht. Jeden Tag beim Erwachen fühlte ich es – ein wildes Glücksgefühl, das mich wochenlang durchflutete.

Meine Sinne waren hochgradig alarmiert, und schon an diese Zeit zurückzudenken ist schwindelerregend. Heute könnte ich so eine Erfahrung nicht machen. Ich habe zu viel hinter mir, zu viele Bezüge, Geschichten, zu viele Jahre des Denkens. Damals war ich unerfahren. Anders als viele meiner Erinnerungen, aus denen seltsamerweise alle Farbtöne gewichen sind, wie ein Schwarzweißfilm, leuchten meine Erinnerungen an Thailand von Farben.

Ich sehe auf das dunkelbraune, runzlige und unglaublich schmutzige Gesicht eines Mannes aus einem der Bergstämme hinunter. Er lächelt mich mit gelbbraunen Zähnen an. Sein Gewand ist königsblau und rot und geschmückt mit silbernen Ornamenten, in denen das Sonnenlicht aufblitzt.

Es ist eine kühle Nacht, und ich stehe auf den Treppenstufen vor V.s Haus, als ein *tuk-tuk*, einer der Kleinlaster, die in Chiang Mai als Taxis dienen, auf der Straße anhält. P. und ein paar andere steigen aus und kommen auf uns zu, aber ich kann mich nur an P. klar erinnern. Im weißen T-Shirt und enger blauer Jeans, eine Federboa in grellem Pink um die Schultern geschlungen und mit einem breiten Grinsen auf dem Gesicht, tänzelt er auf mich zu. Er streckt die Arme nach mir aus und ruft meinen Namen: «Sili! Sili!»

V. und ich gehen auf einer unbefestigten Straße ins Dorf; sie ist übersät mit blassen Flecken vom Sonnenlicht, das durch die dunkelgrünen Bäumen scheint. Fünf oder sechs Kinder kommen uns entgegen. Eines trägt ein plärrendes Radio auf dem Arm, aus dem der populäre Song über Muhammad Ali dröhnt. Ich höre die Wörter *«dance like a butterfly, sting like a bee».* Beim Näherkommen starren sie mich an, fangen an zu kreischen, machen kehrt und rennen in die entgegengesetzte Richtung davon. Ich sehe ihre dünnen braunen Beine mit aller Kraft strampeln und den Staub zwischen ihren nackten Füßen aufsteigen. V. sagt zu mir: «Sie rufen das Thai-Wort für Geist. Sie denken, du bist ein Gespenst.»

Durch die Gaze eines Moskitonetzes beobachte ich eine kleine orange Eidechse an der Wand, während die Nachmittagssonne durchs Fenster scheint. Die Erinnerung ist so still wie ein Foto, und wenn da überhaupt irgendein Geräusch war, habe ich es vergessen.

Nur das ungeschützte Selbst kann Freude empfinden.

Es gab eine andere Seite. In diesen drei Monaten sah ich zwei tatsächliche Wunden.

Auf den Straßen ist so ein Gedränge, dass man kaum vorwärtskommt. Die ganze Stadt ist auf den Beinen für das Lichterfest. Der Mekong brennt von den Lichtern aus tausend Booten, manche winzig, manche größer, die mit Fackeln und Kerzen beleuchtet sind. V. und ich gehen Hand in Hand, damit wir von der drängenden Menschenmenge nicht getrennt werden. Meine Schwester Asti ist irgendwo hinter mir mit anderen Freunden, und dann ist vor mir plötzlich alles rot. Blut. Der Rücken eines Mannes. Etwas hat seine Schulter getroffen. Die Erinnerung ist in Zeitlupe, eindeutig eine Verzerrung dessen, was wirklich geschah, und doch beobachte ich, wie die Menge sich teilt und den Blick freigibt auf was? Ich weiß es nicht. Menschen stieben davon, und V. zerrt heftig an meinem Arm. Es muss Rufe und Schreie gegeben haben, aber ich kann mich nicht an solche Laute erinnern, füge sie nur dem Durcheinander hinzu. «Jemand hat einen Molotowcocktail in die Menge geworfen», sagt V. Bis heute weiß ich nicht, woher er das wusste. Ich frage gar nicht erst. Ich fühle nichts. Das stelle ich fest. Ich habe etwas Schreckliches gesehen und reagiere nicht. Lag es daran, dass ich es nicht richtig gesehen habe? War es für mich nicht real? Es ist, als wäre ich betäubt, abwesend.

Ich bin in der Nähe der burmesischen Grenze und sehe bei einer Operation zu. Ein junger Mann hatte einen Motorradunfall und hat eine schlimme Wunde am rechten Bein. Der Operationstisch ist voller Blut. Ich sehe die riesige klaffende Spalte in seinem Bein, eine verschmierte tiefe Wunde. Ich schaue von einem kleinen Balkon auf ihn und die Chirurgen. Neben mir steht der Arzt, mit dem ich unterwegs bin. Ich habe seit meiner Ankunft in Chiang Mai bei ihm, seiner Frau und seiner Tochter gewohnt. Ich schaue hinunter auf das Bein und sage mir, Siri, du schaust dir diese Verletzung an, und du bist okay. Du bist här-

ter und stärker, als du dachtest. Ich bewundere mich im Stillen. Ein paar Sekunden später wird mir schwindlig. Dann breitet sich die vertraute Übelkeit in meinem Magen aus. Es ist schon früher passiert. Ich fühle es kommen. Meine Knie geben nach, und ich werde ohnmächtig.

Nicht lange nach meiner Rückkehr in die Vereinigten Staaten wurde ich schwerkrank. Tagelang lag ich im Bett, und mein Kopf fühlte sich an, als hätte jemand eine Axt darin stecken lassen. Ich wurde ein erbrechendes, schlotterndes Wrack, das nicht aufrecht stehen oder das geringste Licht durch das Fenster ertragen konnte. Schwindel und Übelkeit kamen und gingen, aber die Schmerzen in meinem Kopf blieben acht Monate lang in verschiedener Form und Stärke. Während ich in der Bibliothek saß und pflichtgetreu durch den Schmerz hindurch las, tadelte ich mich dafür, ein bizarres psychosomatisches Symptom zu entwickeln, einen strafenden Kopf, mit dem Sehen schwerfiel, Lesen schwerfiel, Denken schwerfiel – kurz, alles schwerfiel, was ich tun musste. Das Schlimmste war jedoch, dass ich mit der Zeit eine immer größere Angst vor mir selbst bekam oder mir diese Angst, die ich schon immer hatte, vielleicht bewusster wurde – die Angst, dass in mir irgendeine Gefahr lauert, die ich nicht benennen kann.

Langsam tauchte ich aus dem Kopfschmerz wieder auf und stürzte mich im Jahr darauf noch energischer in mein Studium. Ich interessierte mich manisch für russische Geistesgeschichte des 19. und 20. Jahrhunderts. Sie war so lebendig, so irre und am Ende so furchtbar traurig, dass ich Unmengen davon aufnahm. Noch immer verschlang ich Bücher wie eine Verhungernde. Jung lehnte ich ab, doch ich träumte jede Nacht für Freud, machte mir Träume, die dem Meister gefallen hätten: eine einundzwanzigjährige Frau, die eine Übertragung mit einem Toten vollzog. Ich schrieb noch mehr Gedichte, die ich langsam und sorgfältig verfasste – Sonette. Ich schrieb eine Menge Sonette.

1982 sollte es wieder geschehen. Ungeheure Kopfschmerzen traten ein, nachdem ich mich verliebt hatte, nachdem monatelange ekstatische Gefühle einen schmerzenden Höhepunkt erreichten, als ich den Mann, den ich wollte, heiratete. Der Anfall setzte auf unserer Hochzeitsreise in Paris mit einer Attacke ein, die mich zu meinem völligen Erstaunen in der Galerie Maeght gegen eine Wand schleuderte und dann so schnell vorbeiging, wie sie gekommen war. Eine halbe Stunde später ging ich mit meinem Mann auf der Straße, und mein Sehen wurde auf einmal so scharf, als wäre jedes Gebäude, jeder Gegenstand, jede Person und Farbe durch eine starke Kameralinse schärfer eingestellt, und dann hörte ich diese Worte in meinem Kopf: *Ich war noch nie in meinem Leben so glücklich wie jetzt.* Ein ganzes Jahr lang war ich krank. Gegen Ende dieser Zeit landete ich auf der neurologischen Station des Mount Sinai Hospital. Ein teilnahmsloser, hingestreckter Körper, den die Droge Thorazin zum Erliegen gebracht hatte. Ich lag von Schuldgefühlen gequält im Bett, eifrig damit befasst, meine Krankheit zu deuten. Hatte ich mir nur eingebildet, ich sei glücklich? Wenn ich nicht verheiratet sein wollte, warum schien es dann so, als hätte ich es so sehr gewollt? Ich war mir selbst ein Rätsel, eine Last für meinen frisch angetrauten

Ehemann und obendrein verrückt. Inzwischen habe ich mir verziehen. Ich erkenne an, dass Migräne von jedem starken Gefühl ausgelöst werden kann, sei es Freude oder Angst oder Trauer. Ich habe mich mit mir als einem schrillen, spastischen, flatterigen Körper abgefunden, der schuften muss, um Ruhe, Frieden und Erholung zu finden.

Irgendwann während meiner ersten Woche in New York, als ich im Herbst 1978 an der Columbia University mein Promotionsstudium begann, stand ich in der winzigen Studentenbude, die ich gemietet hatte, und sah mich in dem kleinen Spiegel über dem Spülbecken an. Ich wusste, die Person, die ich ansah, war ich, und doch war etwas Fremdes an meinem Spiegelbild, ein Anderssein, das Gefühle des Überschwangs und der Feierlichkeit mit sich brachte. Auf einmal sah ich eine Fremde an. Ich hatte meine Eltern erst wenige Tage zuvor verlassen, und als ich mich auf dem Flughafen von ihnen verabschiedete, hatte ich unerwartete Tränen in meinen Augenwinkeln aufsteigen fühlen. Heute scheint mir, dass ich in meinem Spiegelbild eine Bestätigung meiner plötzlichen und radikalen Autonomie sah, die Erkenntnis, dass ein Schnitt mit Zuhause gemacht worden war und ich ihn heil überstanden hatte.

Ich nahm meine Einsamkeit an. Ich hatte alle, die ich kannte, verlassen und kannte niemanden in der Stadt. Es dauerte nicht lange, bis ich auch jede Verbindung zu dem Freund beendete, den ich in Minnesota zurückgelassen hatte. Ich schüttelte ihn mit der Stadt und meiner Kindheit ab, und ich tat es schroff. Es tut mir immer noch leid, nicht weil es ein Fehler war, sondern weil ich in irgendeinem angsterfüllten Winkel meiner selbst gewusst hatte, dass ich nie zu ihm zurückkehren oder ihn in meine Zukunft einschließen würde und diese Wahrheit vor mir selbst verborgen hatte. Jahre später war ich in New York auf einer Dinnerparty, in deren Verlauf der Gastgeber laut seine unsterbliche Liebe zu seiner Frau erklärte. Zwei Wochen später verließ er sie wegen einer anderen. Ich bin ebenso davon überzeugt, dass seine Erklärung aufrichtig war, wie davon, dass er für sich selbst eine rätselhafte Chiffre war.

In jenem Herbst betrat ich eine andere Welt. Ich fand New York glanzvoller und lebendiger als jeden anderen Ort der Welt. Mein Körper summte von der Geschwindigkeit, dem Schwung, dem Humor der Stadt. Ich eignete mir den sechsten Sinn des Städters an, die Fähigkeit, den leisesten Anflug von Gefahr wahrzunehmen und sich dagegen stark zu machen. Vom vielen Gehen lief ich meine Schuhe ab, und im Gehen erfreute ich mich an der wuchtigen Hässlichkeit der Stadt, ihren geheimnisvollen heruntergekommenen Ecken, ihren prächtigen Bezirken des Reichtums, ihren Märkten, ihren Menschenmengen, ihren Farben. Die Columbia University liegt in dieser Stadt und besteht aus ihr, und ich kann sie in der Erinnerung an diese Jahre nicht auseinanderhalten. Beide, die Stadt und die Universität, waren Teil eines verrückten neuen Rhythmus der Dinge, ein ständig pulsierender Beat von Erregung und Entdeckung. Der Graduierten-Fachbereich für Englisch, an dem ich nun studierte, strotzte vor kritischer Theorie. Foucault, Derrida, Althusser, Lacan, Deleuze, Guattari und Kristeva waren Autoren, von denen ich noch nie gehört, geschweige denn sie gelesen hatte. Zu der Zeit, als ich dort anfing, war der Strukturalismus gekommen und gegangen, und die Hipster, die die Doktorandenkolloquien der Geisteswissenschaften bevölkerten, waren voll in seine Postinkarnation eingestiegen.

Die Ideen waren unser Wetter. Wir lebten in ihnen, und sie lebten in uns, und diese angesagten, starken Gedanken tauchten die Philosophy Hall und den Hungarian Pastry Shop, wo die Studenten zusammensaßen, um die französischen Importe zu diskutieren und auseinanderzunehmen, in ein grelles subversives Licht. Als Jacques Derridas jüngstes Buch auf Englisch erschien, klebte Salter, eine der Buchhandlungen in der Nähe der Columbia, einen handgeschriebenen Zettel an die Schaufensterscheibe: DIE GRAMMATOLOGIE VON DERRIDA HIER ERHÄLTLICH! Die Studenten stürmten den Laden, um ein Exemplar zu ergattern.

Ideen sind auch immer etwas Persönliches.

Ich sitze mit K. im Hungarian Pastry Shop, und wir sprechen über Grundfragen der allgemeinen Sprachwissenschaft *von Ferdinand de Saussure. Es ist ein Buch, das K. gut kennt, und ich frage ihn nach der Beziehung zwischen Konzept und Lautbild. Als Antwort zeichnet er das kleine Bild eines Baums auf eine Serviette, ähnlich dem im Buch. Ich blicke auf die kleine Zeichnung, und was abstrakt war, wird real. Ich verstehe. Eine einfache dauerhafte Offenbarung: Wir sehen vermittels der Sprache. Das Wort isoliert, definiert, erschafft die Grenzen des Gegenstands. Willkürlich und flottierend zergliedert die Sprache die Welt.*

F. erzählt mir von Kojèves Hegel-Vorlesungen. F. ist Student der Philosophie, ein guter Lehrer und teurer Freund. Er ist geduldig, methodisch, kann sich unglaublich gut ausdrücken. Mit seinen Worten nehmen Systeme für mich Gestalt an. Er spricht über das Herr-und-Knecht-Kapitel in der Phänomenologie des

Geistes. *Hegel ist zu schwer zu lesen, aber jetzt denke ich über Selbstbewusstheit, über Zweiheit, Spiegel, über «Ichs» und «Dus», über Verwicklung nach.*

Das Buch liegt in der Bibliothek vor mir auf dem Tisch. Links von mir dringt das letzte Nachmittagslicht durch die Fenster herein – kurz vor Eintritt der Dämmerung. Das Buch ist Roman Jakobsons Two Aspects of Language. *Ich lese über Aphasie. Jakobson schreibt, der Aphasiker büße zuerst die Wörter ein, die das Kind zuletzt lernt – linguistische Shifter wie Pronomen. Ich frohlocke über diese Entdeckung. Ich werde sie in meiner Dissertation verwenden, aber darüber hinaus erkenne ich, dass die menschliche Identität sich als Subjekt nur in der Sprache findet, und dennoch ist dieses «Ich» labil; es verschwindet mit dem «Du». Der Gedanke findet in mir eine Resonanz wie das Aussprechen eines uralten Geheimnisses, das ich immer kannte, aber nie die Wörter hatte, mit denen ich es hätte ausdrücken können.*

Einige Ideen werde ich übernehmen, andere nicht. Es ist alles eine Frage der Resonanz. Alte Gedanken aus früheren Lektüren kehren in neuer Form wieder, und ich werde mich in alle Ideen verlieren, die darlegen, was zwischen Menschen geschieht, in Martin Bubers *Ich und Du*, weil er das Schweigen des Berührens und Fühlens untersucht, in Michail Bachtins *The Dialogic Imagination*, weil es den rauen pluralischen Tanz des Romans erklärt, und sogar in Teile des schwer zu bewältigenden Jacques Lacan, der so verwickelt ist, dass er einen in den Wahnsinn treibt, und doch in manchen Passagen ein Zündfunke zur Offenbarung. In D. W. Winnicott werde ich die Geschichte des Selbst und des Anderen finden, die Wunden und die Leerstellen, und wie das vergessene Hin-und-Her des frühen Lebens zu dem wird, der wir sind. Jahre später werde ich diese Einsicht einer meiner Figuren in den Mund legen, Violet in *Was ich liebte.* «Descartes hatte unrecht», sagt sie. «Es muss nicht heißen: ‹Ich denke, daher bin ich.› Es muss heißen: ‹Ich bin, weil du bist.›»

Ich war arm in der Stadt, und wenn ich las, Gedichte schrieb oder einfach in meiner Wohnung wach lag, hörte ich meine Nachbarn durch die dünnen Wände. Beim Kochen klapperten sie mit ihren Töpfen und Pfannen, sie stritten und liebten sich geräuschvoll. Polizeisirenen, polternde Müllautos, Schritte im Hausflur schreckten mich auf und hielten mich in Erwartung des nächsten Geräuschs wach. Eine junge Frau wurde im Aufzug meines Wohnhauses vergewaltigt. Ich hörte Geschichten von Überfällen, sinnlosen Angriffen und Morden. Eines Nachts auf dem Heimweg hielt mich ein normal aussehender Mann auf der Straße an. Ich dachte, er wollte die Uhrzeit wissen, aber stattdessen stürzte er mit wutverzerrtem Gesicht auf mich los und bellte eine Obszönität heraus, ehe es mir gelang, mich zu ducken und wegzulaufen. Männer setzten mir in jenen Tagen entschieden nach, und manchmal fühlte ich mich emotional bestürmt. Sie waren zu hungrig, zu eifrig, zu übervoll von Verlangen, das ich nicht erwidern konnte, und es kam vor, dass ich nach einem gemeinsamen Abend von ihrem hartnäckigen, nie enden wollenden Druck ganz erschöpft war. Dann war es eine Erleichterung, allein zu sein, eine Erleichterung, meine Bücher, meine Schreibmaschine, mein Bett zu sehen. Und doch war es auch eine Zeit des Tanzens, der langen Nächte und sporadischer kurzlebiger Leidenschaften, denen ich zu meinen Bedingungen nachjagte. Meine eigene Angriffslust gefiel mir. Aber ich wollte K., vielleicht weil er mich nur nach Lust und Laune wollte, weil er ausweichend war. Ich geriet in diese Geschichte hinein und verfiel dann dem sich ständig wiederholenden Mechanismus perverser Gelüste – Glück und Schmerz in regelmäßigen, dann vorhersehbaren Intervallen, die Zyklen einer schwachsinnigen Verliebten –, und am Ende, nach vielen wildbewegten Monaten, kam die Maschine quietschend zum Stillstand. Ich wollte es nicht mehr.

23. Februar 1981. Ich komme mit J. aus der Lesung, und wir bleiben eine Weile in der Lobby des 92nd Street Y, um über die Gedichte zu sprechen, die wir gerade gehört haben. Von da aus, wo ich stehe, fällt mir an der Tür ein schöner Mann auf. Er hat ein schmales Gesicht, riesengroße Augen und einen kleinen, sensiblen Mund. Sein Haar ist fast schwarz, seine Haut dunkel. Er raucht ein Zigarillo, und er beugt sich in seiner Lederjacke und in Jeans etwas vor, wenn er es an den Mund führt. Ich bemerke, dass seine Füße eher groß sind, und auch diese großen Füße gefallen mir. Im Handumdrehen habe ich alles an ihm registriert und fühle mich so angezogen, dass mir schummrig wird. Ich erinnere mich nicht mehr, ob J. mich zu dem Mann hinschielen sieht und mir sagt, dass er ihn kennt, oder ob ich ihn frage, ob er weiß, wer das ist. «Das ist Paul Auster, der Dichter», sagt er. Er stellt mich ihm vor, und dann sitzen wir drei in einem Taxi und fahren nach Downtown. Auf dem Rücksitz erzählt Paul mir von George Oppen, dem Dichter, den er gerade in Kalifornien besucht hat. Ich mag Pauls Stimme, und ich mag die Wärme, die Zärtlichkeit, die ich darin höre, wenn er von «George» spricht. Damals dachte ich das nicht, aber jetzt frage ich mich, ob ich nicht etwas Vertrautes hörte. Mein Vater sprach so, als er noch lebte. Damals lebte er noch. Die Stimme meines Vaters änderte den Tonfall, wenn er von jeman-

dem sprach, den er gern hatte. Im Taxi bin ich schon verliebt, hingerissen, berückt, verknallt und versuche es zu verbergen. Der Mann neben mir ist es nicht. Ich kann es an seinen verhangenen, nachdenklichen Augen erkennen. Ich lasse nicht von ihm ab. Auf der Party rede ich nur mit ihm. Wir essen. Wir reden. Wir gehen durch die Straßen und reden. Wir sitzen in einer Bar und reden. Die schönen Augen stellen sich allmählich schärfer ein. Er sieht mich an, hört mir zu. Ich merke, dass ich ihm gefalle.

Es ist früher Morgen, und wir stehen zusammen auf dem West Broadway. Ich stehe dicht bei ihm, schaue in sein Gesicht, aber nun, nach stundenlangem Reden, habe ich nichts zu sagen. Es ist spät. Der Abend ist vorüber, und ich werde nach Hause gehen und über ihn nachdenken. Dann küsst er mich, und es ist der beste Kuss der Welt. Ein Taxi hält an, und wir steigen zusammen ein.

Nicht lange danach las ich seine Gedichte, seine Essays und schließlich «Porträt eines unsichtbaren Mannes», die erste Hälfte von *Die Erfindung der Einsamkeit.* Bis dahin waren schon viele Bücher in mir, und doch rüttelten diese mich durch ihre Originalität auf. Ich lernte den Mann kennen, bevor ich las, was er geschrieben hatte, aber wenn mir seine Arbeit nicht gefallen hätte oder wenn er das, was ich schrieb, nicht bewundert hätte, wäre es anders gekommen. Unser Werk ist seit dreiundzwanzig Jahren ein wesentlicher Teil unserer Liebesbeziehung und Ehe, aber was ich lese, war weder damals noch ist es heute das, was ich *weiß,* wenn ich mit ihm zusammen bin. Sein Werk kommt von dem Ort in ihm, den ich nicht kenne.

«Wenn ich nicht weiterkomme», sagte Professor S. zu mir, «versuche ich es mit automatischem Schreiben, wie die Surrealisten. Versuchen Sie es mal.» S. war einer meiner Professoren an der Columbia und ein Dichter, den ich bewunderte. Ich kam nicht weiter. Ich hatte viele Gedichte geschrieben, seit ich zwei Jahre zuvor nach New York gekommen war, hatte aber die meisten als nachgeahmt oder einfach schwach verworfen. Als ich endlich ein Gedicht verfasste, das mir gefiel, schickte ich es der *Paris Review*, und zu meinem Erstaunen wurde es angenommen und veröffentlicht. Und trotzdem, zu der Zeit, als ich mit S. sprach, wurde meine Arbeit allmählich vor Gewolltheit so hölzern, als lastete irgendein unerbittlicher Druck auf den Worten. Ich hasste sie regelrecht. An jenem Abend beherzigte ich S.s Rat und setzte mich in meiner Wohnung in der 109th Street an meine blaue Schreibmaschine und schrieb frei, und beim Schreiben erinnerte ich mich an Vergessenes. Ich erinnerte mich an das gelbe Papier, das mein Vater seinen Mädchen gab, wenn er uns mitnahm in die Historical Association, wo er an seinem Schreibtisch arbeitete, während wir auf dem Fußboden malten. Familiengeschichten fielen mir wieder ein – Bruchstücke des Lebens, das ich hinter mir gelassen hatte. Ich entdeckte Muster, Wiederholungen – eine Form tauchte auf, die ich vorher nie hätte erfinden können. Etwas war in mir aufgebrochen, und ich schrieb wie eine Besessene. Als ich schließlich schlafen ging, waren dreißig Seiten aus mir herausgeflossen. Drei Monate lang schrieb ich diese Seiten immer wieder um in ein Prosagedicht. Es war das Beste, was ich je gemacht hatte.

Danach schrieb ich nie wieder Lyrik. Es sollte alles Prosa sein, und die beste Prosa kam immer in einem Schwall. Woher kommt das Bedürfnis zu schreiben? Was ist es? Es ist ein Bedürfnis, keine Wahl. Es ist ein Freien-Lauf-Lassen und ein Nachgeben. Ich erinnere mich, in einem Buch über das Nervensystem einen Hinweis auf zwanghaftes Schreiben gefunden zu haben. Darin hieß es, das zwanghafte Bedürfnis, stundenlang zu schreiben, sei mitunter ein Symptom für Epilepsie aufgrund einer pathologischen Veränderung im linken Schläfenlappen. Auras. Anfälle. Schreiben. Dostojewskij hatte sie, die Heilige Therese wahrscheinlich auch. Mein Mann sagt oft: «Schreiben ist eine Krankheit.» Aber viele Menschen, die keine Epileptiker sind, haben das Bedürfnis, jeden Tag stundenlang zu schreiben. Könnte mein Bedürfnis zu schreiben mit meiner neurologischen Überempfindlichkeit zusammenhängen? Mag sein, aber nicht das, *was* ich schreibe. Inhalt ist etwas, was nur wenige Neurologen diskutieren.

Ich habe auch Angst vor dem Schreiben, weil ich beim Schreiben immer auf das Ungegliederte zusteuere, auf das Gefährliche, den Ort, an dem die Wände nicht halten. Ich weiß nicht, was dort ist, aber es zieht mich dorthin. Ist das verwundete Selbst das schreibende Selbst? Ist das schreibende Selbst eine Antwort auf das verwundete Selbst? Vielleicht ist das richtiger. Die Wunde ist statisch, ein Gegebenes. Das schreibende Selbst ist vielfach und elastisch, und es umkreist die Wunde. Mit der Zeit ist mir bewusster geworden, dass ich versuchen muss, diesen sprachlosen, verletzten Kern nicht zu verdecken, dass ich gegen meine Angst vor dem Schlamassel und der Gewalt ankämpfen muss, die auch da sind. Ich muss die Furcht schreiben. Das schreibende Selbst ist ruhelos und suchend, und es horcht auf Stimmen. Woher kommen sie, diese plappernden Stimmen, die zu mir sprechen, bevor ich einschlafe? Meine Figuren. Ich mache sie und mache sie nicht, wie Menschen in meinen Träumen. Sie diskutieren, streiten, lachen, schreien und weinen. Ich war sehr jung, als ich die Geschichte hörte, wie Jesus bei einem Besessenen eine Teufelsaustreibung vornimmt. Als Jesus mit dem Dämon im Innern des Mannes spricht und ihn fragt, wie er heiße, haben mich die Wörter, die er herausschreit, erschreckt und erregt. Der Dämon sagt: «Legion heiße ich.» So heiße auch ich.

2004